MBA
VALUATION

日経BP実戦MBA 2

Present Value　Present Value of Perpetuity　Discount Rate　Cost of Capital　Enterprise Value　Dilution
Market Value　Net Debt　Expected Return　Goodwill　Discounted Cash Flow　Price-Earning Ratio

バリュエーション

西村総合法律事務所顧問
森生明 著
Morio Akira

日経BP社

はじめに

　外国企業とのやりとりに日々追われているビジネスマン、淘汰の時代に生き残りを模索する経営者、そして就職・転職を考えている学生や若い世代・・・。かなり広い層の間で、外資系金融機関やＭＢＡ(経営学修士)の操る手法をしっかり理解しておきたいというニーズが高まっている。そのためには専門書を読んだり講義を受けたりするのが近道だ、と普通は考えるかもしれない。しかしながら、多くの人達が、そういった形で知識を身につけはしたものの、実戦で使いこなすにはまだ何か頼りないと感じている。実際には、海外へ留学してＭＢＡ等を取得していながら同じような思いに内心焦ってしまう、という話もあるようだ。

　この本は会社の値段が決められる仕組みを解明しようというものである。冒頭にあげた多くの人々が関心を持っている話題として、例えば以下のような疑問がうかんでくる。
* 2001年春の株価をもとに計算すると、インターネットポータルのヤフーは従業員300人、総資産300億円足らずなのに株式時価総額が5,000億円以上。それに対してスーパーのダイエーは正社員1万3,000人に加えて何万人ものパート社員がいて連結総資産3兆2,000億円の規模がありながら、株式時価総額は1,800億円。このような、資産も社員も持たない会社の値段の方が高くなるのはどういう計算のしかたによるのだろうか。
* 2000年夏に、立て続けに伝統優良企業でおこったブランド失墜事件。雪印乳業は時価総額の約40％にあたる800億円、三菱自動車は36％にあたる2,560億円、米国子会社の欠陥タイヤ問題がおこったブリヂストンに至っては60％にあたる1兆3,000

億円の時価総額がほんの１ヶ月程度の間に失われた。会社の値段の中でこういうブランド価値、のれん価値はどれほどの割合を占めていてどう算出されるのだろうか。
＊ リップルウッドという、今まで聞いたこともない名前の米国投資家グループが、長銀、日本コロンビア、シーガイア、と立て続けに日本企業を買収している。日本の中小生命保険会社が相次いで破綻すると、その都度外資系の保険会社がその営業の譲り受け先として名乗りをあげる。ルノーの資本参加、ゴーン社長のリーダーシップにより日産自動車の株価はずいぶん上昇した。外国の企業や投資家はなぜ今日本企業を買収したがるのだろうか。日本の会社は、外国人にとってどのような魅力があるのだろうか。

　このような疑問に対しては、経営や財務（ファイナンス）の専門書とは少し違った実務の視点から株価や投資、企業買収を眺めたほうがかえって本質が明確になる、という思いが本書のベースになっている。
「投資活動の基本原理は意外に単純だ」と割りきり、細かな知識や技術論をいったん忘れて核心部分だけをしっかり掴まえ、後はひたすら現場感覚で常識的に考える。そういうアプローチにより、一見複雑で難解そうなファイナンスやＭ＆Ａの世界が目鼻立ちすっきり見えてくる。これが私の考える実務の視点である。そして最後まで読み終わる頃には、これまでとても手に負えない専門家の世界だと思っていた多くのことがすんなりと頭にはいるようになり、現実のビジネス社会で起こっているさまざまな問題に対する自分の疑問や意見を筋道立てて述べられるようになる・・・・。という欲張りなことをこの本は目指している。

　構成としては素朴な疑問に素朴に答えることの積み上げを心掛け、専門用語やファイナンスの背景や常識の説明から始めることにした。それが「基礎編」のパートである。ここでは経営・財務の「グローバル共通言語」として使われている概念や考え方を私なりに整理し

なおしてみた。国際ビジネス社会でわたりあってゆく為のキーワードや基本的考え方を説明し、日本語ゆえに生じがちな誤解や混乱の素を取り除き、実務・実戦に必要な最低限の道具立てを整えることを目標にしている。

　後半の「実務応用編」では、外資系投資銀行等が実際に使う企業価値算定の各種手法を、株価評価/株式公開と企業買収（Ｍ＆Ａ）の両側面からなるべく具体的・実戦的に紹介している。第七章「Ｍ＆Ａ現場の実況中継」で架空の会社を想定し、その「適正」価格が買い手の戦略的意図や財務・税務手法によって様々に変化するプロセスを詳細に数字で分析してみた。Ｍ＆Ａ実務に興味のある方は、まずその部分から読んでいただいた方が臨場感を持って仕組みを理解できるかもしれない。逆に、会社価格算定の実務に携わっていない人にとっては、内容がやや詳細に立ち入り過ぎているかもしれない。

　その場合は、数字による分析部分は読み飛ばして先に進んでいただいて構わない。第八章以下ではＭ＆Ａや企業価値の増大という行為を、経営者や従業員の立場からどう考えるべきかについて論じている。これは日本の企業社会が今後どのような方向に進んでゆくのか、に対する私なりの問題提起である。いずれにせよ、企業価値算定というテーマについて体系的にきっちりと書かれたこれまでの教科書とは一味違った、現場感覚の新鮮な視点を提供したいと思う。

　企業の合併・買収（Mergers & Acquisitions, Ｍ＆Ａ）が、私のそもそもの専門分野である。日本の銀行、外資系投資銀行、米国の上場会社に勤め、いろいろな角度からこの分野を見てきた。３年前に日本に戻りベンチャー的な合弁会社の立ち上げ期を過ごし、その後独立して現在に至っている。これまでにやってきたことは、日本の会社がバブル経済に乗って海外の資産を買収する手伝い、日本の会社を買収したいという外国企業のための相手探しと交渉、アジアの事業開発担当としての経営企画および中国やタイでの合弁事業企画、逆に合弁会社から損失を出さずに投資を引き揚げる交渉

等々・・・・。株式の上場・公開にもいくつか携わる機会に恵まれた。これらの経験から、今では　M＆Aや株式公開、経営・財務企画や投資家広報（IR）、全てが同じ発想から行なわれる活動だとつくづく感じている。その考え方の背景にある経験談を、いくつか挿入した。投資銀行の現場、日米の経営思想の違い、等々のテーマについて私なりに納得するきっかけとなったエピソードである。

　本書は、これまでに私が上場会社のトップ経営者に対して行なったプレゼンテーション、経営企画スタッフと議論する中からでてきたアイデア、採用活動などの場で学生達に話して受けのよかった経験談、外資系のヤング・プロフェッショナル達に説明して「なるほど」と共感された理論、転職しようかと悩んでいる女性の相談に乗った際にした話、等々を一冊にまとめてみたもの、というのが正直なところである。投資や企業買収についての私の話を熱心に聞いてくれて、返答に困るような鋭い質問を浴びせる人達は、年齢も職業も肩書も極めて多岐に亘っている。同時にこのような話題に興味を持ち、解りやすい説明を求めている人達が意外なほど多くいることも私は実感している。そういう人々の顔や声を思い浮かべながら、できるだけわかりやすく、なおかつ本質に迫ったものにまとめようと心がけた。

　一年近くかけてようやく原稿を書き終わった直後、ニューヨークの世界貿易センタービルとワシントンD.C.の国防総省がテロ攻撃により破壊されるというショッキングな事件が勃発した。これをきっかけに株式市場が混乱し、株価が乱高下する様子を見ていると、会社の値段や株価なんてしょせん実体のないもので、分析・解明しようというのは虚しい努力だと思えるかもしれない。それでも会社の値段がなぜこのように劇的に変化するのか、について本書はひとつの視点を提供できるはずである。と同時に資本主義というシステムが、その正当性と重要性をしっかり認識した人達の信用と信頼によって成り立っているということを、今回の事件を通じて私自身あらためて実感している。この認識を多くの読者と共有できることを願

っている。

日経BP社のご厚意により、本書は「日経BP実戦MBAシリーズ」の一冊として出版させていただくことになった。現場実務経験偏重の著者ゆえに、「MBA」よりも「実戦」に重点をおいた内容となってしまったが、実務に即戦力で役立つ考え方を学ぶことこそがMBAの目指すものだと私は理解している。

　2001年9月

森生　明

目次

はじめに　*1*

プロローグ　*11*
　　株に対する素朴な疑問と日米合弁交渉

基礎編　道具の理解 －経営のグローバル共通言語　*15*

第一章｜企業価値という共通語　*16*
1. 共通言語の時代　*16*
2. 企業価値とは　*19*
　　企業価値は投資価値　*20*
3. 投資家とは誰か　*22*
4. 投資価値のはかり方－ＭＢＡが持っている基本ツール　*23*
　　三種の神器－核心を手っ取り早く理解するために　*23*
　　現在価値という視点－明日の100より今日の90　*24*
　　ディスカウントレート－リスクを数字におきなおす　*26*
　　PV=C/r－永久に毎年100万円を受け取れるとしたら　*30*

第二章｜企業価値を決める要因　*34*
1. 意外にシンプルな発想－PV=C/(r－g)　*34*
2. コインの裏表－株価収益率と期待収益率　*36*
3. 金利と株価の親密な関係　*39*
4. 会社の個性を数字で表現する　*41*

　　　　　　割引率＝期待収益率＝資本コスト　*41*
　　　　　　ベータ（β）とは －危険な会社≠リスクのある会社　*43*
　　　　　　株式市場プレミアムの算定 －株式は国債より高利回り　*44*
　　（コラム）米国投資銀行の現場は算式よりアートな世界　*48*
　　　5．ネットベンチャーの株価形成の理解　*51*

第三章｜会社の値段と企業価値の違い　*54*
　　　1．株の値段と会社の値段　*54*
　　　　　　ストックオプションは株価を下げるか　*56*
　　　2．バランスシートと会社の値段の関係　*58*
　　　　　　バランスシートの構造　*59*
　　　　　　企業価値と時価総額の差　*61*
　　　3．ブランドや人材の価値はどこに表れるか　*63*
　　　　　　バランスシートにのらない価値　*63*
　　　　　　「のれん」価値の算定　*65*
　　　　　　ますます増大する「のれん」価値の重要性　*66*
　　　　　　ブランド失墜事故のダメージ試算　*67*

基本編のまとめ　*72*
　　　　　　共通言語で理解するということ　*72*
　　　　　　なぜ今企業価値なのか　*73*
　　　　　　無借金・含み益経営の本質－バランスシートと会社の値段　*75*

実務応用編　株価算定とM＆Aの実務　*79*

第四章｜会社の値決めの実際１-市場による評価　*80*
　　　1．類似会社との比較 －アナリストの王道　*82*
　　　　　　似ている会社は同じ値段か　*82*
　　　　　　似ているとする決め手　*83*

2．比較の基準－評価に役立つ財務諸表の読み方　*85*
  損益計算書とキャッシュフロー計算書のしくみ　*86*
  評価のためのキャッシュフローと資金繰りのためのキャッシュフローの違い　*91*
  裸の企業価値に迫る指標－EBITDA倍率　*92*
  PERとPBRは使える指標か　*94*
  ＰＥＲは受身の会社価値　*94*
  ＰＢＲの持つ意味　*96*
  万能な指標はない　*97*
  いつの数字を使うのか　*99*

3．実際にやってみよう－四季報のここを見る　*101*
  倍率比較表の作り方　*101*
  コンビニ4社比較　*104*
  自動車メーカー5社比較　*108*

（コラム）安定株主は企業価値をゆがめるか－市場による評価の現実と限界　*113*

第五章｜会社の値決めの実際2-会社を買収する場合　*118*

1．市場による評価と買収価格評価の差　*120*
  段取りと進め方の上での違い　*120*
  会社の値段そのものが違ってくる理由　*122*

2．教科書の手法と実務プロの手法　*123*
  伝統的な企業価値算定法　*123*
  類似上場会社比準方式　*124*
  類似取引比準方式　*125*
  ディスカウント・キャッシュフロー（DCF）方式　*127*
  合わせ技の算定モデル　*127*

3．会社の隠れた秘密を見つけ出す　*130*
  デュー・ディリジェンスという手順　*130*
  見落としがちな価値　*131*

　　　　　（コラム）裸になれない日本企業　*134*
　　　　　4．株主を納得させる買収価格　*136*
　　　　　　　　希薄化－株主利益が薄まるとは　*136*
　　　　　　　　合併および株式交換による買収の際の評価手法　*138*
　　　　　　　　株式交換は打出の小槌の買収手法か　*140*

第六章｜Ｍ＆Ａによる価値創造のしかけ　*142*
　　　　　1．高い価格がなぜ正当化されるか　*142*
　　　　　　　　会社を買収する理由　*143*
　　　　　　　　　　① 単なる権力欲・支配欲　*143*
　　　　　　　　　　② 競合を呑み込む －水平統合　*144*
　　　　　　　　　　③ 取引先を抱え込む －垂直統合　*146*
　　　　　　　　　　④ 時間を買う －新規事業展開　*147*
　　　　　　　　自力立ち上げか買収か　*148*
　　　　　(コラム)投資家にとってのシナジーとは　*150*
　　　　　2．支払うべき価格の上限　*151*
　　　　　　　　プレミアムの根拠　*151*
　　　　　　　　　　① ５年間の収支計画の差　*151*
　　　　　　　　　　② 買い手の安定性の差　*152*
　　　　　　　　　　③ バランスシートの改善　*152*
　　　　　　　　プレミアムは誰のものか　*153*
　　　　　3．てこの原理による投資利回り向上　*154*
　　　　　　　　レバレッジ効果の正体　*155*

第七章｜Ｍ＆Ａ現場の実況中継－Ａ社を買収せよ　*158*
　　　　　1．プロが普通に算定した場合の会社の値段　*160*
　　　　　2．実力派外資メーカーＸ社ならここまで出せる　*170*
　　　　　3．財務魔術師のはなれ業－ＬＢＯ　*175*

第八章　「良い」M＆Aと会社経営　*182*

1. 良いM＆Aとは　*183*
   Win-Winの原則　*183*
   株主の利益と社員の利益　*183*
   株主利益と社員利益を一致させる方法－ESOP　LBO、MBO　*185*
2. 良いM＆Aを行なうには　*188*
   良いM＆A「交渉」と良いM＆A －外部専門家の役割と限界　*188*
      フィナンシャル・アドバイザー　*188*
      法律事務所　*190*
      税理士・会計士事務所　*190*
   専門家の仕事と当事者の仕事　*191*
   良いはずのM＆Aとよい結果のM＆Aの差　*192*
   良いM＆Aを行なうための体制　*193*
   ウェットな日本の組織特有の事情　*194*
3. つまるところ経営力の戦い　*195*
   株主の期待に応える経営　*195*
   敵対的買収は悪なのか　*197*
   敵対的ＴＯＢとは　*198*
   実は難しい「敵対的」の定義　*199*
   正攻法の企業防衛手段　*202*
   そしてすべてのツケは国民に返ってくる　*203*

エピローグ　会社の値段と資本主義の宿命　*206*
   ある米国上場会社の栄光と凋落　*206*
   国民性の違いと言えるのか　*209*
   米国での株主支配の歴史　*210*
   60年代米国と現代日本の共通性　*211*

あとがき　*214*

関連用語集　*218*　索引　*235*

プロローグ

　バリュエーション（Valuation）とは、会社価値評価、つまり、「会社の値段」を算定する作業のことである。
　会社の値段がなぜ、どうやって決まるのかという問題は、実は誰もが抱いている素朴な質問でもあり、同時に専門的な実務理論の話でもある。一見全くレベルの違う次の2つのエピソードを通じて、私はそう痛感している。

　2000年初め、インターネット・ベンチャーがもてはやされていた時期、私はあるネット系ベンチャー企業の交流パーティーに参加した。そこで青年起業家風の若者が若い女性を相手に、株式公開によって大金持ちになる計画を話しているのを横でぼんやりと聞いていた。ベンチャー企業についても株式公開についても全くの素人を自認しているその女性は、ふいにこう質問した。

　　「そんな会社の株を誰がなぜ高い値段で買うの？」

　青年起業家は一笑に付して取り合わなかったが、その女性の素朴な質問は明らかに本質をズバリ突いていた。この女性をなるほどと納得させるにはどこからどう説明すればいいのだろうか、と私はパーティーの後までずっと考え込んでしまった。
　いわゆるインターネット・バブルがはじけ、淡い夢を描いていた多くの青年起業家達が正念場を迎えている今日の状況下で、その女性の疑問が真っ当なもので青年実業家が浅はかだったのだ、と言うのは簡単である。しかしそれで済ませてしまうと、なぜ多くの人達が当時インターネット株の大化けを信じて大金をつぎ込んだのかと

いう質問への答えは依然として謎のまま残されることになる。

　同じ時期に、私はある日米合弁の解消案件の交渉を請け負っていた。30年続いていたその合弁会社は近年赤字が続いており、アジア事業を独自展開したい米国側から、既存事業の引き取りを持ちかけられたのである。赤字事業を引き取ることは重荷ではあるが、合弁会社を解散して社員を路頭に迷わせるわけにはいかない。日本側としてはできるだけ安く相手の株式を買い取る、という交渉だった。
　純資産をベースに価格算定をするという基本合意を取り交わし、我々は会計事務所の助けを借りて事業資産の詳細調査・分析を行なった。そして、日本側が引き取る事業の純資産は財務諸表上の数字より実際はかなり低くなることを主張し、その線で交渉を進めていた。
　ところが最終合意の直前になって、突然相手側の創業会長がこう言い始めた。
「我々が苦労を共にしながら30年にわたって築き上げてきたこの事業の価値が30億円にしかならないはずはない。100億円という売上、優秀な社員、素晴らしい技術を有するこの事業には無形の『Goodwill＝のれん』価値があるはずではないか。事業の継続価値にバランスシートにのらないのれん価値があるということはプロなら誰でも知っている常識だ。」
　プロの常識と言われれば、こちらも反論せずにはいられない。
「企業価値が将来キャッシュフローの現在価値に等しい、ということを私は米国で教わった。その現在価値が純資産価値を上回るのであれば、その超過分が『のれん』価値になるというのは知っている。この事業は今赤字で、それを立てなおすのにさらに出血が見込まれる。その将来キャッシュフローの現在価値で評価したとしても、純資産価値以上にはならないと確信している。それこそ米国の経営者にとっては常識のはずではないか。そちらが早く交渉をまとめたいと言うのでシンプルに純資産ベースで評価することに合意したつもりだったが、今から時間と手間をかけて事業の将来キャッシュフロ

ー計画を作り、現在価値がいくらになるかの水掛け論を始めるつもりか？」
　何回かのやりとりの後、財務担当責任者の目配せで席をはずした先方はしばらくして戻り、会長提案を引っ込めることに同意、交渉は無事元のレールにもどった。

　たまたま重なった2つのエピソードを通じて、私はふと思い至った。
「パーティーの女性が投げかけた素朴な疑問に対する答えも、外国の経営者を相手に行なう企業買収の交渉も、説明・説得に使う道具は全く同じである」
　株を誰が、なぜ高い値段で買うのかという素朴な質問に素朴に答えられる人なら複雑なM＆A交渉も同じようにできる。それはどちらも
「会社の値段は誰がどうやって決めるのか」
という問題であり、株であれ会社買収であれ、
「投資というのはどういう基準で行なうのか」
という問いかけだからである。これがバリュエーションという作業の本質である。

　その説得・説明に使う道具は世界共通であり、使い方を覚えればそれらの道具はグローバルな競争社会で生きてゆくための力強い味方になってくれる。カギになる道具は専門家にしか分からないような高等難解な代物ではない、ということをこれから説明していきたい。

基礎編

道具を理解する
―経営のグローバル共通言語―

・・・・・・・・・・・・・・・・・・・・・・・・・

第一章　企業価値という共通語
第二章　企業価値を決める要因
第三章　会社の値段と企業価値の違い

第一章 企業価値という共通語

1.共通言語の時代

　プロローグで紹介した合弁解消交渉にはいくつもの専門用語が出てくる。

　日本企業の海外進出だけでなく外資による日本企業の買収も活発化している時代、これらの用語についてはしっかりとした理解が必要になってきている。使われている言葉の裏にある、発想や手法の意味を十分に理解しないまま話し合いを行なうと、ちょっとした言葉尻についつい過剰反応し、まとまるべき話も物別れに終わってしまいかねない。考え方や価値観が全く異質でかけ離れている、という先入観こそが疑念や不安を増長させてしまう側面があるように思われる。

　いくつかの経営・財務の基本理論を理解することによって、交渉の相手方の経営判断や投資に対する姿勢が見えてくる。そうすれば彼らの行動基準がなるほどと納得できるようになるかもしれない。日本の社会もそのスタンダードに合わせる必要があるのか、そうしないと日本はダメになってしまうのかを考えるための座標軸ができる。

欧米人、特に米国のビジネスマンと会話をしていて痛感していることが1つある。異なる人種や宗教の人達が同居しているという国の成り立ちのせいか、あるいは英語という言語の特長からか、米国には単純明快なルールで物事をさっさと割り切るのが得意な人が多く目につく。弁護士や金融・財務という私の知っているごく一部の世界での印象にすぎないのかもしれないが、こと経営・財務に関する世界では、関係者の多くがビジネス・スクール出身であり、アドバイスをする投資銀行やコンサルティング会社に勤めるヤング・プロフェッショナルも同様である点に大きなヒントがある。これはＭＢＡ（経営学修士）という資格を取っているから、という部分が重要なのではない。彼らは皆、財務、マーケティング、意思決定等々について同じような教育を受けている。このことが重要なのである。

　彼らはいわば「経営の共通言語」を学んでいるのである。

　共通言語を持っていると、社内会議においても交渉においてもお互いの意思疎通がスムーズになり話が早く済む。意思決定に必要な情報も、型が決まっていれば無駄なく収集できるし、それらの情報を数量化して判断する手法が共有されていれば堂々巡りの議論を延々と続ける必要も少なくなる。合併・買収といった、その会社の命運を左右するような社内会議においても、こちらが
「そんなにてきぱきと決めてしまって大丈夫ですか？」
と確認したくなるほどあっさりと結論が出たりする場面に私は米国で何度か遭遇した。
　これに対して日本でしばしば意思決定に時間がかかってしまうのは、判断基準の座標軸がいくつもあったり、経営判断のための共通言語が定まっていないためだと思われるケースが多い。会社の合併を例にとると、

「世間的にうちが吸収されるような合併では、これまで会社を築い

てきた諸先輩方に申し訳が立たず、ご説明できない」
「だとすると合併会社の名前はどちらが先になるのかが重要だ」
「社員を解雇しなければならないような合併は社員を預かる身として受け入れ難い」
等々、さまざまな観点からのさまざまな価値観が交錯する。

もちろん、このことは日本の経営判断の手法が間違っているというわけでは無い。単純に割り切ったり型にはめて結論を導いたりすることによって、個別の状況の本質を見誤ってしまうことは大いに有り得る。

それでも、外国企業と話し合う場合はもちろん、それ以外の場面においても経営判断にスピードと明快さが求められる今日、単純明快なルールや共通の経営言語にのっとった形で判断の根拠や背景を説明できるならばそれにこした事は無い。そうすることによって合意の形成が時間的にも感情的にもスムーズに進められることが多いはずである。海外の相手方の判断基準や使っている共通言語の背景・根拠を冷静に理解しておくことは有益だし、自分が話す際もシンプルで明快な原理原則を踏まえて説明した方がより多くの人々の賛同を得易い。だからこそ、経営・財務の世界では欧米ビジネス・スクールの共通言語が「グローバルな共通言語」として広まり、受け入れられてきたのである。

海外相手のやりとりの場で日本の経営者が直感的に、
「この結論はどこかがおかしい」
と感じる時、それは多くの場合正しい。私がこれまで交渉や重要な経営判断の場に立ち会った経験からかなりの自信を持ってそう言える。このような経営者がひとたび経営・財務の共通言語を理解すれば、どこが、なぜおかしいのかをその共通言語にのせて説明することは、面倒かもしれないが難しい事ではない。外国の相手に向かって日本語ならではの言い回しで、日本流・わが社流とはどういうものかを説明し、それを理解させ、同意させるよりはずっと楽な話の進め方ではないだろうか。

本書のメインテーマである「会社の値段」すなわち「企業価値」とは、そういう局面において力を発揮する大切なグローバル共通言語であり、企業価値の算定に使われる「現在価値」や「リスク」に代表される概念も、これまた重要な共通語である。

2. 企業価値とは

　企業価値について日本のほとんどの経営者は関心が薄かった。ごく最近まで、

「株式市場なんて所詮カジノゲームの場で、企業の存続や発展は株価とは関係ない」
「事業資金が必要になればまずメインバンクに全て相談すればよい。株式発行による資金調達は、返す必要がなく実質ゼロコストですよ、と証券会社が言うのでやってみる程度のことだ」
「株価を安く放置しておくと物騒な人達に買い集められて面倒に巻き込まれるので、そうならない程度に株価を"維持"しておくように」

といったところが企業経営者の本音だった。株式の持ち合いや安定株主政策を通じて会社の支配権が売買対象となることを防止し、銀行が長期安定した事業資金を提供してくれる環境では、企業価値について神経質になる理由が見当たらないというのも当然かもしれない。
　しかし、その全くの裏返しの事態が現在起こりつつあり、だからこそ最近になって急に企業価値に対する経営者の関心が高まっているのである。グローバルな競争力をつけなければ企業収益が先細り、終身雇用を約束した社員達を養いつづけることができなくなる時代がやってきた。それと時期を合わせるかのように、株の持ち合いの解消がすすみ、銀行頼みの資金調達も心もとなくなってきた。このような状況下では、とるべきリスクをとりながら企業価値を高める経営戦略を明確に打ち出さなければ、事業の維持・発展に必要な資

金調達がままならなくなり、経営者として失格の烙印をおされてしまいかねない。そうなった場合、社員を路頭に迷わせないためには、資本力ある他の会社や投資家に救済を求める、つまり会社を身売りするしかない。国はすでに補助金や規制でそういう会社を守り続けることができなくなってきているのである。

「リスクの高い事業には株式の発行で資金調達を行ない、事業の将来性に経営者として自信がなくなったら身売りを考えろ」

という資本主義本来の姿が身近なものとして感じられることになった時、企業価値を真剣に考える土壌がやっと整うことになる。

企業価値は投資価値

では企業価値とは一体どのような価値なのだろうか。あらたまって問われてみるとさまざまな答えが浮かんでくる。10人に聞けば10通りの企業価値の定義があってもおかしくないが、それでは共通言語として使うわけにはいかない。多くの人は
「雇用の創出、地域の活性化、税金の納付、等も企業が社会にもたらす価値である」
と答えるかもしれない。辞書には「価値」の意味として「どれくらい役に立つかという程度」とあるので、そこから湧いてくる発想として間違った考え方ではない。しかしその感覚を当然のこととして「企業価値」の一部に含めてビジネス上の諸問題を議論すると混乱を招いてしまうだろう。

「経営や財務の用語としての企業価値は、株主にとっての投資価値の話であってそれ以外の利害関係者にとっての利用価値の話ではない」

ということをまず頭にいれなければならない。
「金の卵を産むガチョウ」の寓話になぞらえ、投資価値とはどうい

う価値かについて考えてみよう。あなたが今ここに一匹のガチョウを持っているとする。是非私にそのガチョウを売ってくださいという人があなたのもとにやってくる。この人がガチョウを欲しがる動機はいろいろと考えられる。殺して食べたい、卵を産ませて食べたい、ペットとして観賞したい、・・・・それぞれに値段のつけ方は変わる。これはガチョウの「利用価値」に着目した値段のつけ方だということができる。ガチョウでは例としてふさわしくないが、荷物を運ばせる、農作業に使う、といった利用価値も馬や牛なら有るだろう。それに対して、そのガチョウに子を産ませて、それをまた売って金を儲けようという動機は「投資価値」に基づく価格決定である。その買い手にとって、あなたのガチョウの価値は将来どれだけの子供を産むか、そしてそれが将来いくらで売れるか、によって決まる。あなたのガチョウが子供ではなく金の卵を産むとしたらこのガチョウの値段のつけ方はよりストレートになる。買い手の目にはあなたのガチョウは金の塊に見えるはずである。

　投資価値としての会社の値段は、それが産み出す金の卵、すなわち利益または現金（キャッシュ）、の多寡によって決まる。株価（＝会社の小口化された持ち分である株式の値段）は会社が将来産み出す金銭的利益の一点に絞って決まる。これが、企業価値は投資価値である、ということの意味である。あなたのガチョウの肉付きがいくら良かろうと、羽の色艶がいくらよかろうと、それは食べたり観賞したりする目的のない投資家にとってはどうでもいいことである。

　あじけない話だが、企業価値を論じる時には投資価値としての企業を論じると割りきらないと話はいたずらに混乱する。その企業の有する社会的意義とか貢献というのは重要な視点ではあるが、そういう価値観を「企業価値」という用語の中に織り込んで議論すると、欧米人とのビジネス会話は噛み合わなくなる可能性が高い。

　因みに、「企業価値」という日本語に直接対応する英語は、通常"Shareholders' Value"（株主価値）だとされている。M＆A実務家の間では"Enterprise Value"という業界用語が企業価値

（または企業総価値）と訳されている。"Corporate Value" という直訳は英語のビジネス会話ではあまりお目にかからない。日本語と英語の対応関係は追々整理する（後述第四章2参照）が、しばらくの間は新聞、雑誌等で日常的に使われている「企業価値」という言葉のまま話を進めさせていただきたい。

3. 投資家とは誰か

「金の卵を産むガチョウを探して、カネでカネを産む金儲けを追求するのが投資家の仕事である。」

こう説明すると、日本人の大半が投資家であることを忘れてしまいがちになる。多くの人は日々モノを作って販売したり、サービスを提供したりして報酬を得ているので、ガチョウ探しはしていない。では金融市場で巨額の資金を運用して利益をあげたり焦げ付きを作ったりしている人達、具体的には投資信託の運用マネージャー、保険や年金資金の運用者、が投資家であろうか。彼らは「機関投資家」と呼ばれており、確かにカネでカネを産む仕事を行なっている。しかし彼らは他人の資金を預かって運用しているのだから、いわば「代理」の投資家で、本来の投資家は、その資金を提供している人達だということになる。そうやって元をたどっていくと、日本人の大半が資金提供者であることがわかる。自ら株式投資をしていなくても、毎月給料から天引きされる保険料や年金積み立ては、機関投資家によって市場に投資されている。会社が儲かっている割に自分の給料が少ないとぼやきながらも将来の安定を期待してその会社で働き続けている人は、自分の本来の給料の一部を会社に積み立てていることになる。その積み立ては会社が自分の代わりに投資しているのだ。その投資が大きな利益を生めば自分の将来の給料と退職金は安泰になり、お粗末な投資に回れば回収不能になり自分の退職金も吹き飛ぶ。

カネでカネを産む投資行為を軽視すると、その結果は自分に返ってくる。将来に向けて何らかの積み立てをしている人は皆「投資家」

であり、自分自身で金の卵を産むガチョウを探し回る代わりに「機関投資家」に代表される運用の専門家にそれを委託しているにすぎない。それらの運用の専門家や会社の財務担当者を、あなた自身が厳しくチェックしなければ、彼らはその貴重な資金をいたずらに投資し、バブル崩壊と共に霧消させてしまう。

　投資価値とはどうやってはかるものなのか、は決してごく一部の専門家に任せて他人事で済ませてはいけない問題であり、従って実際の投資家たる大半の人達がその基礎を理解しておくべき内容だ、ということになる。

4. 投資価値のはかり方 － MBA が持っている基本ツール

　企業価値を投資価値として売り買いする場、それが株式市場でありM＆Aという活動である。個々の企業にとっては、市場は投資家に対してその魅力を競い合って資金を取り合う場所である。さらに、資金を投資する側から見れば、株式市場自体も、国債・銀行預金・不動産等の他の金融商品や投資対象との間で比較検討される選択肢の1つにすぎない。投資家とはより多くの金をさらに産み出すことを目的として当面使い道のない資金をドライに動かす人達である。得られる投資利回りに魅力がなくなれば、さっさと資金をそこから引き揚げる。その結果、投資価値としての会社の値段や株価は絶えず変動する。投資家達がどういう手法で投資価値を計算するのかを理解すると、彼らがどのような行動基準で投資決定をするのかが見えてくる。その背景に彼らが学んでいるファイナンスの基礎がある。退職年金基金や投資信託の運用を通じて巨額の資金を動かし株価に影響を与える機関投資家達は皆この共通言語を使っている。

三種の神器－核心を手っ取り早く理解するために

　最近はビジネス・スクールで教えられるファイナンス用語がかなり日常的にビジネスで用いられ始めている。銀行や証券会社、会計事務所やコンサルティング会社の人達との会話、さらには社内の会

議においても、カタカナの専門用語や数字ばかりがたくさん並んだ表計算資料が頻繁に用いられるようになった。テンポの早い説明を受け、なんとなく解ったが「腹に落ちない」消化不良のまま議論がすすみ、結論が出てしまう。後になって「やはりよく考えてみたら・・・」と話を蒸し返すようではビジネスマンとして信頼を失い、海外との交渉で不利な状況におかれてしまうことになりかねない。

　そのような状況に陥らないための、企業価値算定に必要な最低限のツールを、まずは「三種の神器」と名づけて解説する。大切なのは、知識として覚えるということではなく、発想のしかたを身につけるということなので、そのような観点からアプローチしてみたい。

　最低限のツールとは、「現在価値（Present Value, PV）」とその中心部分にある「ディスカウントレート(Discount Rate,割引率)」という考え方である。さらにその2つを使った公式として、「永久還元（又は永続価値）の定義式(Present Value of Perpetuity)」というものがある。この3つの用語は本書においてこの先何度も登場してくる。いわば家を建てる際の基礎工事にあたる部分であり、その部分の理解があいまいなままだとその上にどんな立派な家を建てても不安定になる。逆にここさえしっかり押さえておけば経営財務上の諸問題の多くはその発展型として理解できるといっても言いすぎではない。

現在価値という視点 －明日の100より今日の90

　あなたの友人が、事業をはじめるにあたりあなたに資金提供を求めてきて、「10年後に100万円にして返す、その支払いは100％確実である」と約束したとする。あなたも10年後に100万円を友人が返すことを100％信用できるとする。この場合あなたはいくらの資金を彼に提供すべきだろうか？

　「10年後に100％確実に100万円受け取れるのであれば100万円出してあげればいいじゃない」とあなたが答えるとしたら、国際金融の世界で餌食になること請け合いである。

10年後の100万円より今の100万円は価値があるという認識は皆持っている。時はカネなり、金融資産には時間的価値がある。なぜなら、カネはたんすの中でじっとしていない限り常にさらにカネを産み出す、カネそれ自体が金の卵を産むガチョウだからである。この基本ルールが資本主義経済のベースにあるので、当面使わない資金を持っている人から今その資金を必要としているところにカネが移動して世の中の役に立つ。

　では、10年後の100万円と今の100万円はどれほど価値に差があるのか。これを計算するのが現在価値という考え方である。

　あなたが今友人に提供する100万円の資金は、他の確実な投資に回すことによって向こう10年間確実に利益を生み出すと考えられる。にもかかわらずあなたがこの事業に投資するからには最低でもそれと同額に増えてもらわねば割があわない。そこであなたは他の投資先を探してみて、それと比較してこの事業への投資を考えることになる。もっとも支払いが確実な金融商品として通常引き合いに出されるのは、国が元利払を保証している国債である。（国の元利保証が最もリスクが少ない、という前提に納得できない人は早く資産をまとめて信用できる国に移住するか、自分が選挙に立候補して信用に足る国に変える努力をすることをお勧めする。）

　今仮に10年国債の利率が10％／年で変わらないとすると、あなたの100万円という資金は10年後にいくらになるだろうか。毎年の利息もそのまま国債に再投資すると考えれば、毎年1.10倍に複利で増えていくと計算される。結果は［図表1-1］のとおり。

　つまりこの前提において100万円は10年間で確実に2.594倍に増えるのである。「現在の100万円が10％の利率で毎年増えると10年後に259.4万円になる」という表現を裏返すと
「10年後の259.4万円を年率10％で割り引く（ディスカウント Discount する）と現在の100万円となる」
と言い換えることができる。

　とすれば10年後の100万円にいくらの価値をつけるべきか。

$$100 \div (1.1)^{10} = 100 \div 2.594 = 38.6 万円$$

　これがドライな投資家のあなたが出せる上限金額となる。
　この認識は以下のような言葉で表現される。

　10年後の100万円をディスカウントレート(割引率)10％で割り引くと現在価値は38.6万円になる。

　10年後の100万円の現在価値はディスカウントレート10％で38.6万円である。

ディスカウントレート －リスクを数字におきなおす

　友人の事業は50％の確率で失敗し、その場合は10年後に100万円どころか一銭も返ってこないとあなたが考えた場合、最初に提供すべきあなたの資金はいくらになるだろうか？

　金融商品、あるいは投資対象商品がその価値を競い合うポイントは、その商品が将来もたらす金銭的利益だと繰り返し述べて来たがこれは2つの要素に分解できる。すなわち、
「もたらされる利益の額」
　および
「その支払いの確実性」
　である。後者の不確実性をファイナンス用語で「リスク（Risk）」と呼んでいる。
　ではリスクの程度はどう数値化して金銭的価値の座標軸に取り込むのだろうか。　それはディスカウントレートを調整することによって行なうことができる。
　先ほど国債を引き合いに出してディスカウントレートを10％と置き、あなたが資金提供すべき上限金額を38.6万円と計算した。

図表 1-1 現在価値

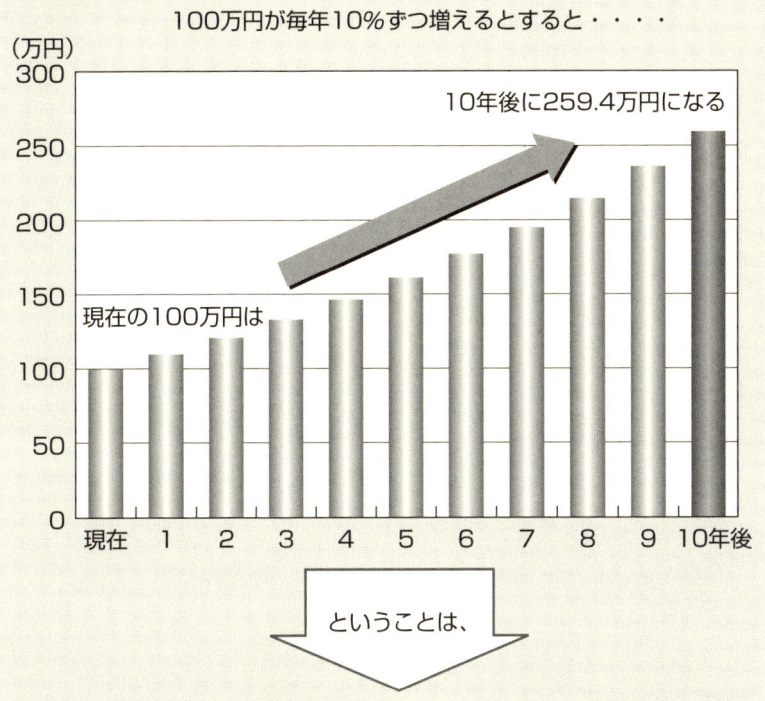

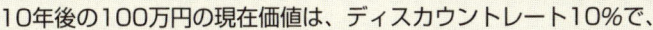

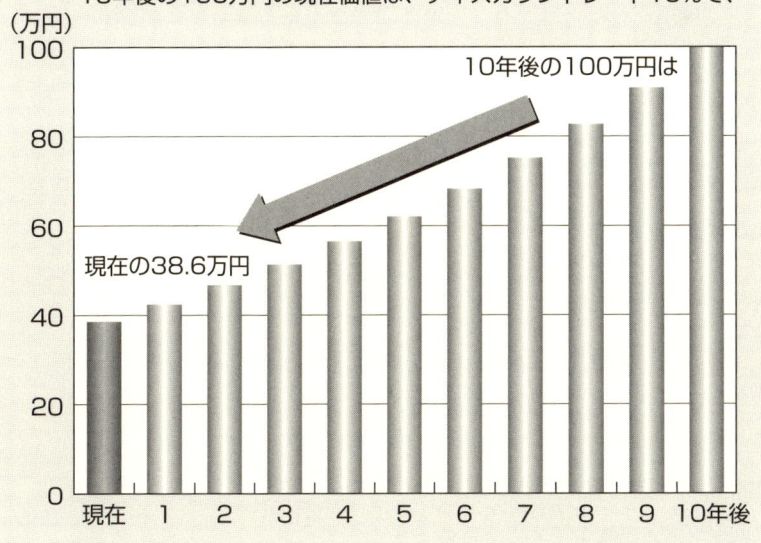

このディスカウントレートは10年後の支払がほぼ確実な場合のレート（割引率）である。

では、事業が50％の確率で失敗し、あなたの投資金額38.6万円が全く返ってこないとしたら、38.6万円という前述の計算はどこがどう変わるべきだろうか。

10年後に同じ100万円の期待値を達成するには50％の確率で200万円もらえ、50％の確率でなにももらえない、ということでなければ投資価値としてイコールにはならない。

とすると、38.6万円が10年後に200万円になるにはどんな利回りが必要だろう。または先ほどの言い回しに従うと、10年後の200万円の現在価値が38.6万円になるようなディスカウントレートは何％だろうか。

前述と同じように計算すると約17.9％と高くなるはずだ。あなたが最初に投資する38.6万円は毎年17.9％の利息がついて、その利息をさらに同じ投資に回す、これを10年間繰り返すとやっと200万円になる。

100％支払いが確実な国債と50％の確率で紙くずになるこの投資との差をディスカウントレートの調整によって現在価値の差として算定すると10％と17.9％の差として表現できる。[図表1-2]
「リスクの数値化」は多くの研究のなされている深遠なテーマでその考え方は単純なものではなく、後述43ページでさらに説明を加えるとおり実際にはどのような確率でいくらの返済が見込めるかの分散の程度、という要素を勘案しなければならない。が、将来の不確実性を「リスク」としてディスカウントレートに織り込むことによって現在価値に反映できることを説明するひとつの例えとしてここでは理解いただきたい。

事業の失敗の可能性をあなたが感じるなら、この場合友人に対して「10年後の100万円返済にリスクがあるので国債の10％より高い17.9％の利回りを少なくともこの投資から期待しており、従って19.3万円しか資金は出せない」と言うのが賢明な投資家としてのあなたのセリフである。

図表 1-2　現在価値、リスク、ディスカウントレートの関係

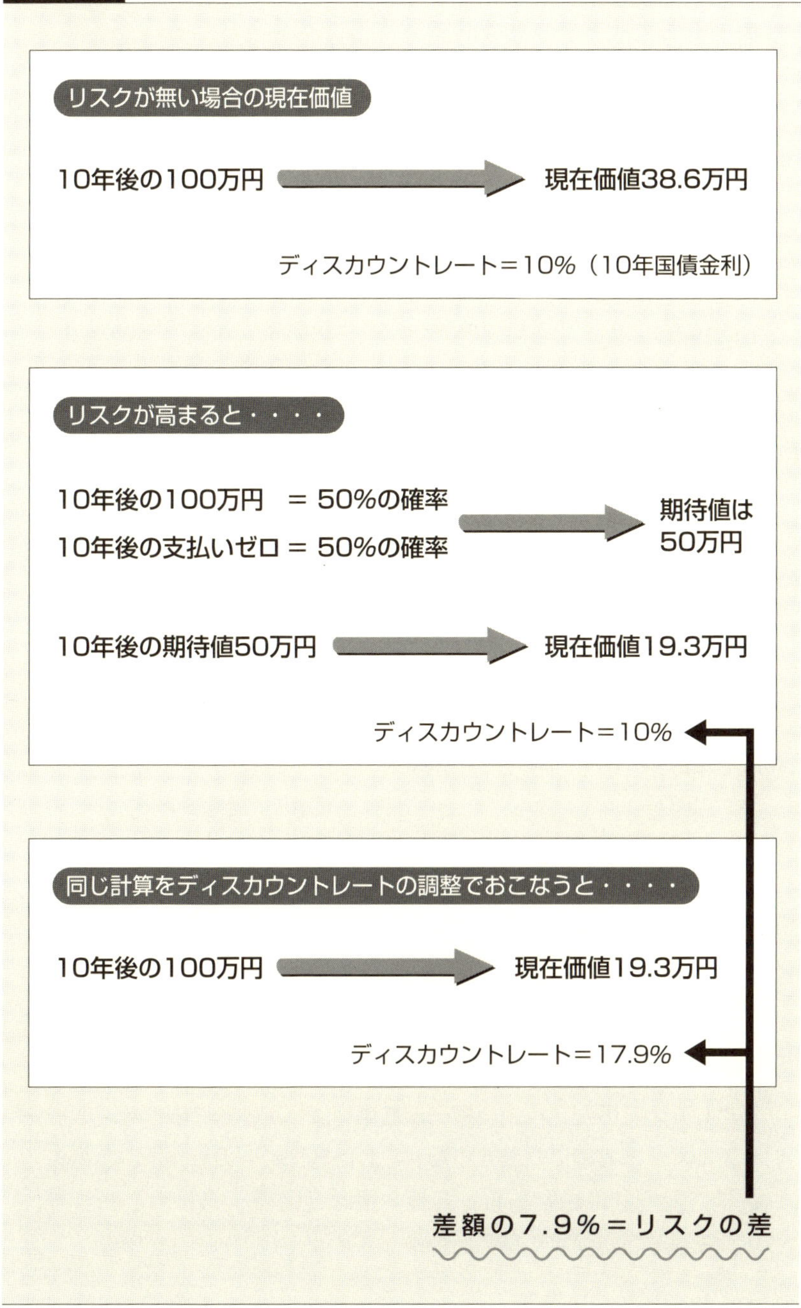

リスクが無い場合の現在価値

10年後の100万円　→　現在価値38.6万円

ディスカウントレート＝10％（10年国債金利）

リスクが高まると・・・・

10年後の100万円　＝ 50％の確率
10年後の支払いゼロ ＝ 50％の確率　→　期待値は50万円

10年後の期待値50万円　→　現在価値19.3万円

ディスカウントレート＝10％

同じ計算をディスカウントレートの調整でおこなうと・・・・

10年後の100万円　→　現在価値19.3万円

ディスカウントレート＝17.9％

差額の7.9％＝リスクの差

現在価値を計算する上で不可欠なディスカウントレートは、このようにリスクの程度を勘案して決まる。投資する側から見ると、このディスカウントレートとはリスクの程度に応じて期待すべき投資利回りである。その意味で、ディスカウントレートは「割引率」と通常訳されるが、投資家にとっての「期待収益率（Expected Return）」という用語と同じ意味を持っている。

PV=C/r－永久に毎年100万円を受け取れるとしたら

　国があなたに、「子孫末裔まで、永久に毎年100万円を支払いつづけることを約束するからそれと引き換えに今税金として2,000万円納めて欲しい」という提案をしてきたらあなたは受けるだろうか。

　20年間で合計2,000万円受け取れて元がとれ、その後も永久に毎年100万円もらいつづけられるのであればお得な話のように聞こえるかもしれない。これを現在価値の考え方を使って計算してみよう。ディスカウントレートは同じく10％とする。

　1年後の100万円の現在価値＝ 100/（1+0.1）＝ 90.9万円
　2年後の100万円　〃　　＝ 100/（1+01）^{2} ＝ 82.6万円
　3年後の100万円　〃　　＝ 100/（1+01）^{3} ＝ 75.131万円
　　　　　　　　　　　　：
　　　　　　　　　　　　：

　お気づきのとおり、将来の100万円の現在価値はどんどん小さくなり、最終的にはゼロに限りなく近づく。ということはその合計額としてのこの永久年金提案の現在価値は一定の値に限りなく収斂してゆく。どの値に収斂するか。これは等比数列の和、という高校数学で習う計算式である。計算方法は［図表1-3］のとおりで、一見複雑そうだがよく見ると簡単、答えは1,000万円となる。

図表 1-3

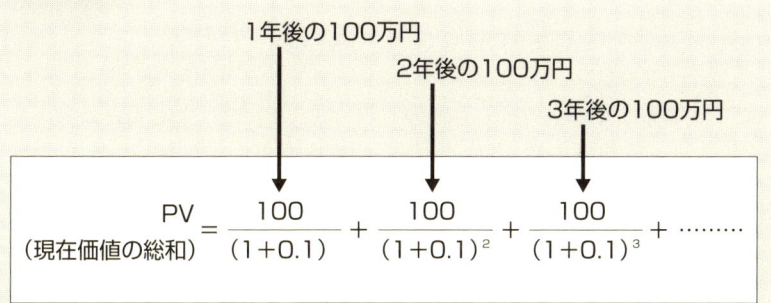

つまり国の提案の現在価値はディスカウントレート10％で計算すると1,000万円にしかならないことになる。

そして実はこの1,000万円という数字は単純に毎年受け取る100万円をディスカウントレート10％（＝0.1）で割った金額に等しい。

一般型としての公式は次のようになる。これが永久還元（永続価値）の定義式（Present Value of Perpetuity）と呼ばれるものである。[図表1-4]

図表 1-4 永久還元（永続価値）の定義式（Present Value of Perpetuity）

毎年のキャッシュフローを C
ディスカウントレートを r
とすると、毎年永遠に C を受け取れるという金融商品の現在価値（Present Value, PV）は、

$$PV = \frac{C}{r}$$

第二章 企業価値を決める要因

1. 意外にシンプルな発想 － PV ＝ C/(r － g)

　ここまでの説明に異論がなければ、企業価値算定の考え方を理解したも同然である。なぜならば、投資対象としての企業の価値は、その企業が将来にわたって産み出すキャッシュフローの現在価値にほかならないからである。その企業が永遠に存続して毎年Cというキャッシュフローを産み出し続けると考え、実際にそうならないリスクを勘案したディスカウントレートをrとすれば、C/rがその投資対象の現在価値つまり企業価値に等しくなる。

　永久に一定のキャッシュフローCを産みつづける、という前提にひとひねり加え、毎年着実にCが一定の割合gで成長しつづけるとするとこのキャッシュフローの現在価値（PV）はどうなるだろうか。先ほどと同様の方法で等比数列の総和を求めると、次ページの［図表2-1］のとおりで、やはりシンプルな次の答えになる。この公式は、定率成長の永久還元定義式（Present Value of Growth Perpetuity）と呼ばれるものである。

$$PV = \frac{C}{r - g}$$

図表 2-1 定率成長の永久還元定義式

$$PV = \frac{c}{1+r} + \frac{c(1+g)}{(1+r)^2} + \frac{c(1+g)^2}{(1+r)^3} + \cdots\cdots$$

両辺に $\frac{1+g}{1+r}$ を掛けて元の式から差し引くと…

$$PV = \frac{c}{1+r} + \frac{\cancel{c(1+g)}}{\cancel{(1+r)^2}} + \frac{\cancel{c(1+g)^2}}{\cancel{(1+r)^3}} + \cancel{\cdots\cdots}$$

$$-)\quad \frac{1+g}{1+r}PV = \frac{\cancel{c(1+g)}}{\cancel{(1+r)^2}} + \frac{\cancel{c(1+g)^2}}{\cancel{(1+r)^3}} + \cancel{\cdots\cdots}$$

全て消えてしまいこれだけが残る

$$\left[1 - \frac{1+g}{1+r}\right]PV = \frac{c}{1+r}$$

$$\frac{r-g}{1+r}PV = \frac{c}{1+r}$$

式を整理すると… 結論は意外に簡単

$$PV = \frac{c}{r-g}$$

　ということは、企業が永遠に事業を続けキャッシュを産み出しつづける基本型において、企業価値は、C、r、gの3つの数字を見つけ出せば決定できることになる。その3要因を言葉で表現すると、

　C：企業は現在年間いくらのキャッシュを産み出すのか（現在の収益力）
　r：企業が将来その金額のキャッシュを産み出し損なうリスクはどれほどあるか（企業の安定性）

g：産み出すキャッシュは年々どういうペースで成長するか（企業の成長性）

図表2-2 企業価値算定の基本公式

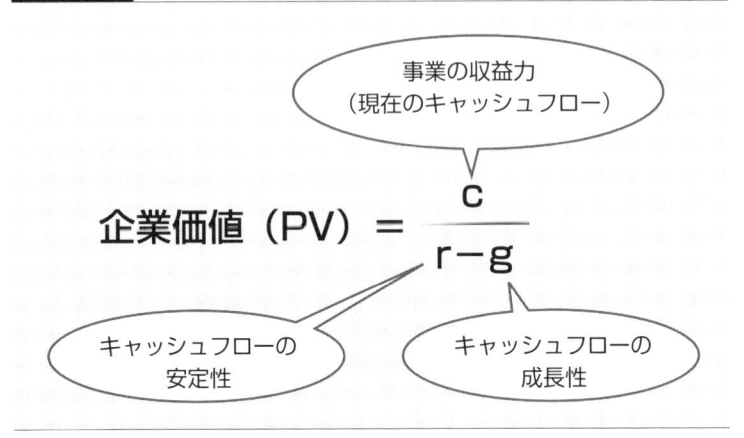

$$企業価値（PV）= \frac{c}{r-g}$$

- c：事業の収益力（現在のキャッシュフロー）
- r-g（分母左側）：キャッシュフローの安定性
- r-g（分母右側）：キャッシュフローの成長性

　企業価値や株価がこのような要因で決まることは常識として知っていた、という人も多いだろう。ここで重要なのは、あたりまえのことがきちんと数式でシンプルに表現できることであり、それこそがグローバルな共通言語として世界中で受け入れられるゆえんなのである。この公式は企業価値を共通の土俵で議論する交渉のような場面で、意外に使い勝手がいい。

2. コインの裏表 － 株価収益率と期待収益率

　ある会社の株価が高いか低いかを議論する際に日・米・欧を問わず広く一般的に用いられている評価方式に株価収益率（Price-Earning Ratio, PER）というものがある。PERについては第四章2で詳しく分析するが、これは会社の株価を一株当たり税引後利益で割った倍率である。株価が1,000円で一株当り利益が50円であれば、この会社のPERは

1,000 ÷ 50 = 20 倍

となる。PERは「この会社のPER20倍は業界他社平均の30倍に比べ割安である」という形で用いられ、株価の妥当性を検証する一つのスタンダード指標として使われている。

<u>利益に対する倍率で株価の妥当性が測れる、と世界中の多くの投資家が合意しているのは何故だろうか。</u>

実はPERの考え方は前述の現在価値算定式と同じなのである。コインの表と裏のような関係で、同じことを違う表現方法で説明しているにすぎない。

前述の定率成長の永久還元定義式を変形させると

$$\frac{PV}{C} = \frac{1}{r-g}$$

となる。左辺は株価（＝PV）を利益（＝C）で割ったもの、すなわちPERで、これは右辺のディスカウントレート（r−g）の逆数と等しい。PER20倍（PV/C=20）というのは永久還元の定義式において $r-g = 1/20 = 5\%$ といっているのと全く同じだということがわかる。具体的な例を使ってこの裏表の関係を示すと次ページ［図表2-3］のとおりである。

言われてみれば当たり前のことで、背景知識の無い人ほどすんなりと受け入れてくれる。ところが外資系投資銀行等でバリバリ活躍している人達の方がかえってそれに気づいていないこともあるようである。というのは、PERをはじめとする各種倍率を使った株価・企業価値評価とディスカウントレートを使った現在価値評価を全く別物の評価方式であるかのように説明する光景をよく目にするからである。

「利益とキャッシュフローは違う」
「株主にとってのキャッシュフローは利益ではなく配当だ」
「ディスカウント・キャッシュフロー評価方式はもっと複雑だ」

図表 2-3　PERとディスカウントレートの裏表の関係

ある会社の株価が1,000円、その会社のその年の利益が
一株あたり50円だとすると……

$$PER = 1,000 \div 50 = 20倍$$

株価＝一株分の企業価値（PV）
一株当り利益＝現在の収益力（C）　　　　　　　　と考えられるので

$$PER = \frac{PV (1,000)}{C (50)} = 20倍$$ 　と表現できる

片や、企業価値算出の公式は　　　　　$PV = C/(r-g)$

両辺をCで割ると

$$\frac{PV}{C} = \frac{1}{r-g} = 20倍$$

20倍＝1÷0.05 なので、

$$r - g = 0.05 = 5.0\%$$

つまり、

> 一株当り利益50円の会社の株式をPER20倍で1,000円と評価することと、50円という利益を r－g＝5%で永久還元して算出する株価評価は全く同じ計算の裏表だということになる

専門家の立場から見ると荒っぽすぎる説明なのは承知している。より細かな議論については後編第四章以下をご参照いただきたい。私がここで明らかにしておきたいのは、一見別物の評価方式に見えるPER、すなわち利益に対する倍率という価格算定の手法はその根っこの部分で現在価値の考え方とつながっているという点である。「何倍」という発想で株価を見ている人は結構多く、「ディスカウントレートは何％」という発想で株価を見ている人は少ない。ディスカウントレートという言葉を持ち出すと急に話がややこしくなったように錯覚されてしまうが、考え方自体は実は日常的に使われている。20倍といわれれば逆数の5％、30倍であれば3.3％がr－gとして無意識のうちに想定されていることになる。例えば今の東証上場株式全銘柄の平均PERが当期予想利益の約50倍となっているとしよう。これは現在の利益を1/50＝2.0％のディスカウントレートで永久還元したものにほかならない。それはrが3％でgが1％ということなのか、rが5％でgが3％なのか、はたまたCが来年には倍増すると想定しているのか・・・・意識しているかいないかにかかわらず、東証上場株式に投資している人は現在の利益水準、その安定性と成長性に何らかの数字を置いた上で株価（＝PV）を決定しているという解釈が可能なのである。

　そして数字で分析して投資判断をするのに慣れている外国人投資家達は日本の投資家達がC、r、g、それぞれにどういう数字を想定してPER50倍がでてきたのか、米国の20〜25倍に比べて何故高いのか、を分析する。

3. 金利と株価の親密な関係

　「米国連邦準備委員会のグリーンスパン議長が0.5％の金利引下げを決定」というニュースが発表されると株価が大幅に上がる、という現象はおなじみだろう。これまでの説明を通じて、金利が上下すると株価が動く理由も明らかになったものと思う。国債利回りがベースであるrが金利の引き下げによって小さくなれば、PV(株

価)が上がることは公式からすぐに導き出せる。

　金利と株価の密接な関係についてはいろいろな説明が可能だが、それらはすべて株価がその会社の将来利益（キャッシュフロー）をディスカウントレートで割り引いた現在価値だ、という原則から来ている。例えば、
「金利が下がると企業も家計も支払い金利が減るので借入金を増やすことができる。そうすると設備投資や住宅購入意欲が上がり、景気がよくなる。だから株価があがる」
この説明は、

* 利払い金額が減る分会社に残るＣ（利益・キャッシュ）が増えるから株価があがる
* 金利が下がると借金をしやすくなり、設備投資や消費が増えるので、そういった製品を生産している企業の売上が増え、利益が増え、従ってそのような会社のＣが大きくなる
* 借入れ金を増やして、あるいは増加する利益を再投資して、研究開発費や新商品開発投資、他社の買収等に回すことによって持続的な成長力（ｇ）が高くなる

という風に中身を分解して考えることができる。
　株価は将来に対する見通しを織り込んで形成されることから、景気の先行きを占うよい指標だとされている。金利低下によって景気が良くなるから株価があがる、というよりも金利低下で企業収益が良くなるだろうと予想する人が増えて株価があがり、その結果景気が本当によくなるという効果がある。株価があがるとその売却益で儲ける人達の消費が増え、企業や金融機関も保有株式の含み益が増えて決算が楽になるので新たな投資やバブルの清算に積極的に取り組めるようになり、金融機関は企業への融資にも積極的になれる。
　そういう意味で、金利政策は株価に即効性があり、従って景気対策として効果的な手法となる。このような、金融政策に重きを置いた経済政策を信奉する人達がマネタリストと呼ばれる人達である。

近年の低金利政策はこの考え方からすると株価押し上げに絶大な効果を持っているはずなのだが、日本の株価がいつまでたっても安定した上昇軌道に乗らないのは何故だろうか。
これも、前述の説明のしかたになぞらえれば、

* 借入金がこれまで多すぎたのでその返済を優先し、金利が低いからといって借り増しをしたがらない
* その結果ｒの低下にも関わらず成長性ｇの上昇を感じさせるような革新が企業に起こらない
* むしろ金利低下で会社が一安心し、本来取り組むべき企業収益体質の改善ペースが遅れ、リストラが進まずＣが大きくならないしｇを上昇させなければという緊張感が企業内にみなぎってこない

といった説明ができよう。ただ、外国の投資家にとっては、これだけの低金利となれば借金してでも投資しなけりゃ損、という気運になりやすいとも想像できる。それが海外の投資ファンドが日本に続々と上陸している１つの理由なのかもしれない。

4. 会社の個性を数字で表現する

割引率＝期待収益率＝資本コスト

　企業価値算出の基本公式 PV=C/(r－g)、が理屈の上で成り立つとしても、それによって特定の会社の企業価値ないしは適正株価がピンポイントに算出できると納得した読者はおそらくいないだろう。それはｒ－ｇとしてどういうレートをどうやってきめればよいのかがさっぱりつかめないことが大きな原因である。
　十人十色である会社の個性、それゆえにさまざまに変化する会社の値段を具体的にｒ－ｇという数値で表現する方法について、ファイナンスの世界でどのように考えられているかを紹介しておこう。
　これまでの説明で、ディスカウントレートはリスクが限りなく低

い国債の利回りが基準となり、それにリスクに応じてレートが上乗せされる、という考え方を示した。この差は「リスク・プレミアム（Risk Premium）」と呼ばれる。借入れの世界でも、信用力が無ければ金利は高くなるし、簡単な審査で融資が受けられる消費者金融の金利はさらに高くなる。そしてどうしようもなくなって駆け込むサラ金では途方もない利息を持っていかれる・・・・・・、といった具合に日常生活でもよく見かける現象なので、この発想自体にそれほど違和感はないだろう。

では、会社価値や株価算定において個々の会社のリスク・プレミアムはどのように算出されるのであろうか。

リスク・プレミアムの実体は、無リスク金利よりどれほど高いリターンが期待できれば投資家は株式投資に参加してくるか、という数字である。そこから企業価値算定に使われるディスカウントレートが投資家の側からは期待収益率と呼ばれることは先に説明した。

ある会社株式に投資する場合、投資家の期待収益率は以下の3要素の組み合わせによって決まる。

① 無リスク債券（国債）の利回り（リスクフリー・レート）
② 投資元本も将来の利回りも保証されていない株式市場に参加するにあたり、そのリスクに見合った上乗せ利回りとして何%を期待するか（株式市場プレミアム）
③ その会社に固有のリスクは株式市場全体のリスクに比べて、より高いか低いか（ベータ、β）

式にすると、[図表2-4] のとおりである。この公式は資本資産評価モデル（Capital Asset Pricing Model, CAPM）と呼ばれている。そしてこの式は、投資家の側から見ると期待すべき利回りの算定式だが、資本を調達する企業の側から見ると、投資家に還元することが期待されている利回りであり、事業運営のコストと見なすのが健全な発想となる。企業側の観点からは同じ式が株式資本コスト（Equity Cost of Capital）の算定式、またしてもコインの

裏表の概念である。最近大手企業が社内の業績評価にとり入れている、EVA（Economic Value Added）という考え方はまさに株主から提供される資本のコストをきちんと認識しよう、という発想に基づいている。

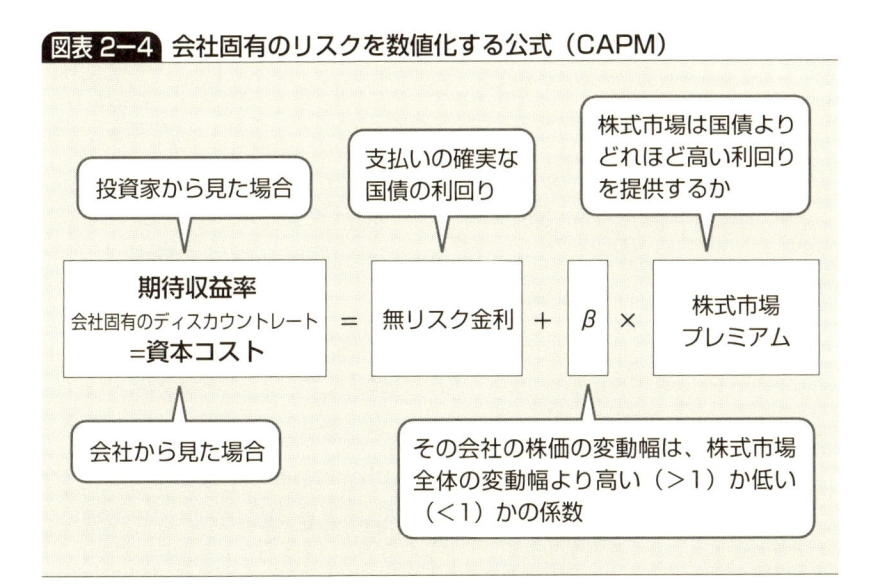

図表 2-4　会社固有のリスクを数値化する公式（CAPM）

投資家から見た場合 → 期待収益率　会社固有のディスカウントレート ＝資本コスト ← 会社から見た場合

＝ 無リスク金利（支払いの確実な国債の利回り）＋ β × 株式市場プレミアム（株式市場は国債よりどれほど高い利回りを提供するか）

β：その会社の株価の変動幅は、株式市場全体の変動幅より高い（＞1）か低い（＜1）かの係数

そこで肝心の、株式市場プレミアムとベータをどうやって算出するか、という問題になる。その答えは「市場に聞くのが一番」である。毎日市場に参加して株価をつけている投資家達の行動からデータを取って分析する、これが王道である。

危険な会社 ≠ リスクのある会社：ベータ(β)とは

ベータ（β）とは株式市場全体が上下するのに比べ、その個別の会社の株価はより大きく上下するのか小さく上下するのか、を偏差値として表現する係数である。過去の市場におけるその会社の株価の動きや同業他社の株価の動きを市場全体の動きとの相関関係としてデータ分析すれば算出できる。市場の上げ下げと同じ程度にぶれるなら$\beta＝1$となり、より振動幅が大きければその会社のβは1

より大きくなり、より安定していれば1より小さな値になる。

では、リスクの度合いを測るのになぜ偏差値を使うのだろうか。

この素朴な疑問についてはファイナンスの世界でリスクとは不確実性の度合いのことを指す、と割り切って考えるとわかりやすい。どうしてもリスク＝危険という訳語にひきずられて会社の株価が下がる確率の高さを連想しがちだが、それは違う。継続して赤字を出しつづけ、株価が市場の動きに連動しながらも着実に下がりつづける会社は単に「存続が危うい」のであって、その会社に投資することの危険性は明確だといえる。だから投資家にとっては「リスク」ではない。むしろ、新製品を華々しく発表して株価がぐんと上がったかと思ったら翌月にはその商品に不具合が発生して全品回収というニュースが出て株価が急落する、こんなタイプの会社が「リスクの高い」会社とイメージすべき会社である。

原点にたち返れば判る通り、投資価値としての企業価値の源泉はその会社が将来にわたってもたらす収益・キャッシュフローに尽きる。その肝心な将来像がうまく描けないふらふらした会社の値段はどうしても割引き（ディスカウント）幅が大きくなるのは当然だろう。ベータは、それを係数として表現したものだと考えることができる。

元々資本資産評価モデル（CAPM）はリスクを分散するポートフォリオ投資の理論をベースにしている。そこでは個別の株式のリスクプレミアムは効率的に分散化されたポートフォリオ（株式市場全体）のリスクにどの程度影響するかという視点から算定されている。

つまり、個別の会社の将来の不確実性（＝リスク）をそのまま反映して数値化しているわけではなく、分散投資している機関投資家から見た場合その会社はどのように位置付けられ評価されるかという観点からベータを用いていることに留意しておく必要がある。

株式市場プレミアムの算定 －株式は国債より高利回り

株式市場プレミアムの算出は、過去の株式市場が、国債への投資

に比べどの程度高い利回りを実際に達成してきたか、という実証データから導き出されるものとされている。米国においては過去50～60年間の実績値は6～7％であり、日本においては過去30年程度の実績値として5～6％であるといわれている。

　この数字は、実は大変重要な意味を持った数字である。過去の実績として株式市場プレミアムがあるということは、株式投資というのは短期的にはでこぼこがあるとはいえ、信頼して長期間続けると国債よりも数％高い利回りを実現してきたという実証データだということにほかならない。いわばリスクをとった人がとらなかった人より報われた、という資本主義経済発展の歴史のうらづけである。そこから、株式市場にこれから参加してくる投資家達は過去の実績と同程度の高利回りを「期待」して当然と推定する。これが株式市場プレミアムの根拠となっている。

　株式市場が国債より高い利回りを達成してきた、という事実は決して偶然ではない。逆向きに考えた方がむしろよくわかるかもしれない。これまで経済は発展してきた、つまり富のパイは全体が膨らんできた。それはリスク＝不確実性がありながらも、そのゲームへの参加者は全体として儲けることができたことを意味する。競馬などの公営ギャンブルは、その運営にかかる費用、国や地方自治体の取り分を差し引いた残りを配当するのだから、ギャンブルに参加した人全体としては損をする構造にならざるを得ないが、株式市場は経済が発展して企業収益が成長するかぎり、ゼロサムではなくプラスサムの世界だということになる。そのようなゲームにおいては、リスクを取る、すなわち不確実性に賭けることをいやがる人はその分だけ当然取り分が少なくなる。「リスク・プレミアム」という言葉は、とるべきリスクを回避して利益の金額を固定するために支払うコスト、というのが本来の意味である。そう考えれば、リスクを裸で受け入れた株式投資家が、そのリスクを回避するためにプレミアムを支払って元利保証つきの国債を買った投資家より高い利回りを享受するのは当然の結果なのである。

　この説明をすると、株式投資が好きなある友人は即座にこう反論

してきた。

「オレは株に投資するにあたり国債より5％とか7％高い程度の利回りを期待しているわけではない。オレが投資する株に期待しているのは1年間で2倍になることだ。最低でも30％ぐらい上がることが期待できないような株式投資はしない。」

これは日本語の問題だと私は解釈している。彼が言っているのは「期待（Expect）」ではなく「願望（Hope）」である。彼は口では「この株は確実に1年後に2倍になる」というだろうが、実際にはそうなる確率はせいぜい5分の1だと理解している。そして同じく5分の1の確率で30％上昇し、同じ確率で全く上がらないだろうと思い、5分の1の確率で30％値下がりすることを覚悟し、残りの20％の確率で株価が1年後に半分になっていることを心の奥底で恐れている。この場合彼が実際に「期待」している利回りは［表2-5］のとおり、加重平均で10％ということになる。

表2-5　株価100円の株式の期待利回り試算

1年後の変化	株価	×	確率	=	期待値
2倍になる	200	×	20%	=	40円
30%上がる	130	×	20%	=	26円
現状のまま	100	×	20%	=	20円
30%下がる	70	×	20%	=	14円
半分になる	50	×	20%	=	10円
合計			100%		110円

「2倍の200円になることを"願って"いるが
実際には110円になる、つまり10％の利回りを"期待して"いる」

競馬で、本命3倍の馬券を買う人は「確実に3倍になることを『期待』している」と言うかもしれないが、それはそう「願って」いるのであって期待はできない。期待という言葉はもっと冷静かつ

分析的な用語として使われている。その意味では、この本命馬券を買う人は損をすることが「期待」されているというのが悲しい現実だ、と言わざるを得ない。競馬のオッズは胴元が確実に儲かるようにしか設定されていないのだから、期待値はゼロ以下でなければならない。

　株式市場に参加する投資家の期待収益率に話を戻そう。実際に市場を動かすような金額を投入しているのは個人ではなく機関投資家である。彼らは生命保険の掛け金や年金資金、投資信託などを運用しており、年によって勝ったり負けたりいろいろあるだろう。しかし長期的に見て国債より数％高い利回りを実現できれば、彼らはその責務を十分に果たしていることになる。そして株式市場は長期のスパンで国債より数％高い利回りを実現するという「期待」に応える限り、機関投資家からの資金の運用先として信頼されることになる。

> **column**

米国投資銀行の現場は算式より アートな世界

　株式市場プレミアムやベータは以上述べてきたように過去の実証データを分析して決まる、というのが定説である。ビジネス・スクールのファイナンス科目の教科書でもそのように説明している。市場に参加する投資家達がそれを信じて価格算定を行なっているからそれが「正しい」手法となる・・・。本当にそうやって企業価値や株価は決まっているのだろうか。1980年代後半に日本の銀行でM＆Aのアドバイス業務を行なっていた頃、実は私自身この理由づけに納得していなかった。過去何十年にもわたる長期間の平均利回りや過去数年間の市場や株価の振れ具合が、今日の投資活動の判断基準としてなぜふさわしいのか。会社も投資家も刻々と変わってゆくのに、「過去平均がそうだったから」という惰性のような理由で本当に投資価値の判断がなされるのだろうか。

　私なりの結論から申し上げる。ディスカウントレートすなわち期待収益率すなわち資本コストはコンピューターで自動的に導き出される無機的な数字ではない。むしろこれは直感的・職人芸的に決まっており、かつそれが合理的な決まり方なのである。私がそう確信するに至った一つのエピソードがある。

　1990年代初頭、私はゴールドマン・サックスという投資銀行の東京支店に転職し、本場でみっちり鍛えて来い、ということでニューヨークの本社に修業に出されていた。当時の米国は大型企業買収ブームが一段落した頃だった。それでも、何千億円という規模の案件がいくつも同時進行しているゴールドマンの本社オフィスは、米国M＆A業界の最大手という自信と、戦場のような喧騒にあふれた職場だった。

　ある比較的小さな会社売却案件で、私は入社1年目の若手アソシエイトと一緒にその会社の価値評価レポートを作成することになった。同僚のダグは米国のトップビジネス・スクールでMBAをとり、ファイナンス理

論は当然頭に入っているエリートである。彼は教科書どおり株式市場プレミアムを7％とおき、ディスカウントレートを13〜15％として価格評価を行ったのだが、どうしても算出される値段が低すぎて実感にそぐわない。将来の収益予想をいじってみたり、ベータを低く設定してみたりするが、それはそれでいかにも数字のお遊びのような評価レポートになってしまって説得力がない。ダグも首をかしげるばかりである。かねてより株式市場プレミアムの根拠に疑問を感じていた私は、ここぞとばかり、こう提案した。

「ダグ、1930年以降の平均利回りとしての7％という株式市場プレミアムが高すぎるように思えてならないんだ。無リスクレートに10年国債を使っているのだから株式市場プレミアムも過去10年程度のものをとってはいけないのだろうか？株式投資だって50年という超長期ではなく10年程度の長期で投資家は考えているはずだ。」

そこで我々は過去10年のNY株式市場の合計利回りと国債利回りの差を計算してみた。おりしもニューヨーク市場はブラックマンデーの後で株価水準は下がっており、株式市場プレミアムは過去10年間で1％程度しかなかったことが判明した。そのまま1％を株式市場プレミアムとして使えば会社価値は当然跳ね上がる。

今度はやや高すぎる算定価格に不安を覚えるダグの提案により、我々はその考え方の正当性を確認すべく、株式部門の調査アナリストに意見を聞きに行くことにした。（若輩者の素人考えにも真面目に対応してくれるところは、さすがアメリカである。）アナリストは我々の論拠については反論しなかった。しかしながら、株式市場プレミアムに1％を使うことにはどうしても同意しない。じゃあどう考えればいいんだと頭を抱えたダグと私に対して、アナリストはこう言って見事な助け舟を出してくれた。

「オレは毎日株価水準について調べ、機関投資家に説明し、彼らと会話をしている。そこから、今のマーケット環境で機関投資家が最低でも3％のリスク・プレミアムがないと株式市場に資金を持ちこまないであろうことは、感覚的にわかる。1％を使うというなら反対するが3％なら反対

column

しない。」

　リスク・プレミアムを３％とおいて評価してみると、不思議なもので他の数字を無理に動かすことなく実感にフィットする価格が出てきた。

　我々の評価レポートは顧客に報告・説明する前に上司であるパートナー（共同経営者）に説明をして了承を得なければならない。パートナーはディスカウントレートになぜ１０％前後を使ったのか、と当然質問し、我々は前日の株式部門のアナリストとのやりとりを説明した。パートナーも、「なるほどね」
とあっさり納得し、顧客へのプレゼンテーションもすんなり受け入れられた。

　この一連のやりとりは私にとって衝撃的だった。教科書の数字より、私のそれなりに筋を通した過去１０年の実証データより、アナリストの一言は確かに説得力があった。市場の最前線で日夜マーケットの息遣いと接しているプロフェッショナルの皮膚感覚を根拠に会社の価格が決まる、それは投資銀行の本場においてごくあたりまえの事だった。私にとり、これは会社価値評価のなんたるかの本質部分がわかったような、目からウロコが落ちた瞬間だった。

　米国株式市場で投資家の信頼を背に負って、実績と信用を積み上げてきたウォール街の名門投資銀行の言うことには、経験と蓄積のない人間がいくら頭で考えて分析しても太刀打ちできないリアルな迫力がある。だから彼らに高額の手数料を払ってでもアドバイザーについてもらえば安心、という「看板価値」が生まれる。私はそのように納得している。

5. ネットベンチャーの株価形成の理解

　本章で述べたとおり株価の構成要素を分解して考えてみると、インターネットベンチャー企業の株価が昨年急騰した時期に、どういう考え方がされていたかをそれなりに筋道を通して理解することができる。

　あるネットビジネスの会社の株価がPER200倍で評価されたとする。「利益200年分を前払いしている」と表現するといかにもベンチャーの株価が高すぎるように聞こえるが、これが現在の金利水準で、かつインターネット事業のような形態においては決しておかしいと言い切れないことを永久還元の定義式を使って説明してみよう。

　まず、ディスカウントレートの基準となるrだが、これはリスクのない長期国債を基準として計算される。今日の低金利を前提とすると、そのレートはこれまで例として使用した10％よりもはるかに低い1.5％程度の水準にある。ではリスク・プレミアムについてはどうだろうか。　ネットの世界では、勝者は常に勝ちつづけると言われており、ひとたび「勝ちスジ」と評価されるとその地位は容易にひっくり返されない。実際にヤフーやアメリカオンライン（AOL）のような成功企業を具体的にイメージすれば、勝ちパターンにはいると雪だるま式にシェアが拡大し、ベンチャー企業だからといって不安定とは限らないことは納得できるだろう。米国アナリストの直観を尊重して株式市場プレミアムを3％、ベータを1.0と想定してみよう。国債金利を1.5％とすると合計でrは4.5％となる。

　次に成長率gだが、これは市場そのものがどれほどのペースで拡大するのか、そしてその中で特定のその会社はどれほどの市場シェアをとるのか、を想定して決めることができる。インターネットは「革命」と呼ばれるほど今後の人類の生活やビジネスの根本部分に

大きな影響を与えるものであるから、かなり長期間の市場の拡大が想定され、その中で勝ちスジの会社が年率４％でずっと成長しつづける、と想定してもおかしくはない。もちろん「永遠に」４％成長と仮定するのは難しいのだが、急激に成長してその後そこそこの安定成長軌道に乗る、と考えても差し支えない。

　最後にＣである。永久に利益を出しつづけ、しかもそれが成長しつづけるためには設備投資を永続的に拡大してゆくことが必須だとこれまでは思われていた。ところがインターネット事業というものは当時、極端に小さな設備のみで運営でき、企画・アイデアという資本のいらない経営資源によって無限の広がりを産み出す、とイメージされていた。とすると継続的成長の為の投資が非常に少なくて済む事業形態であり得る。

　伝統的大企業においてＣは多くの従業員を雇用しつづけ、設備投資にも継続的な支出をした残りの金額だとするとインターネット企業のＣと同じ程度になっても不思議はない。

　先に公式として導いたとおり、ＰＥＲの倍率はディスカウントレート（ｒ－ｇ）の逆数である。インターネット企業のＰＥＲ 200 倍というのは 1/200 ＝ 0.005 ＝ 0.5 ％で割ることと同じ、この例に沿って考えると ｒ＝ 4.5 ％で成長率 ｇ＝４％と仮定したのと同じことになる。

　さらに、200 倍を突き抜ける PER も可能である。というのは、このような成長企業は上げられた利益を株主に配当せずに新たな事業分野開拓に再投資するのが正しい成長戦略だからである。同じような急成長が見込まれる周辺分野へ利益が再投資されるとすると、そこにまた PER200 倍の世界が展開し、ねずみ算的に企業価値が増えてゆくことになる。ソフトバンクはヤフーを核にして、まさにこのような拡大戦略を描いていた。こうして、ｒよりｇが大きくなるような想定がかなりのリアリティを持って投資家に訴えかけてきたのだ。だからこそ、米国という、株価評価においては日本より熟練した広い投資家層を有する場所ですら、これまでの PER の発想

では説明できないほどの株価がつくという事態が起こったのだと考えられる。

　インターネットを利用したビジネスが、株式市場でこれまでの常識では考えられなかった株価をつけた背景はこのように説明できる。そしてその株価がその後急落したのは、投資がいらずに無限に成長し続けられると思われていたインターネット事業に、意外にコストがかかりつづけ（Cが大きくならず）、ねずみ算的な永遠の高成長を想定する（gを高く設定する）のが非現実的だという事例がでてきたため、あるいは参入障壁が低いが故に価格競争が激化して収益の成長性に疑問がでてきたから、と説明することができる。特にこの低金利のご時世では成長率を4％から3％に置きなおしただけでr－gは0.5％から1.5％へと3倍に上昇し、その結果株価は3分の1になってしまう。

　このように、低金利で分母のrが小さい環境のもとでは、ちょっとしたCやgの動きがPVに大きなインパクトを与えてしまう。低金利政策の下でバブルが生まれ、はじけ易いことも、意外に単純な公式から論理的に導き出すことが可能なのである。

第三章 会社の値段と企業価値の違い

　基礎編最後のこの章では、ファイナンスの教科書的な理論に基づいて算出される「企業価値」と実際にM＆Aで取引される「会社の値段」、そしてそれを小口細分化した持ち分として株式市場で売買される「株価」、とが相互にどのような関係にあるのかを明らかにしておきたい。使われる用語がやや錯綜してわかりにくい部分もあるので、巻末の用語集「企業価値関連」に整理してみた。合わせてご参照いただきたい。

1.株の値段と会社の値段

　まずは株価と会社の値段の関係を整理しておこう。
　株式とは会社の所有権を小口に細分化したものである。従って会社が発行している全ての株式の数（発行済み株式総数）と株価と会社の値段（会社価値）の間には次の関係が成り立つ。

　　　　株価＝会社価値÷発行済み株式総数

　これは当たり前のようで、意外に落とし穴がある。いくつかの勘違いしがちな事例をあげてみよう。

> 伝統的大会社の株価が1,000円なのに、出来たばかりのベンチャー企業の株価が100万円、というのは世の中の常識として明らかにおかしいのではないか。

　大企業は多くの設備資産をもち従業員を抱えている。それらの費用を全部払った後に残る利益が設備資産を持たない小人数のベンチャー会社と同じ金額になることは、特に景気の低迷する環境下では大いにあり得る。両社が同じ金額の利益を上げているとして、大会社の発行済み株式総数がベンチャー会社の1,000倍あれば当然株価は1,000分の1となる。

　☞ 発行済み株式総数を考慮にいれずに株価の高い低いを論じるのはナンセンスである。

> 額面50円の株式と額面5万円の株式とでは価格が1,000倍違うのが当然ではないか。

　そうとは限らない。額面が50円だろうと5万円だろうと、その株式の額面金額は株価とは関係がない。会社の値段が投資価値として決まる以上、株価は将来の利益配分がどれほど期待できるかによってのみ決まるもので、株券の額面にいくらと書いてあるかは株価となんら連動していない。この場合、50円額面株式の発行済み株式総数が5万円株式の1,000倍あって初めて答えはイエスとなる。

　☞ 株式の額面金額と株価の間には何の関係もない。

> 会社の状態が全く変わらないのに突然株価が半分になることが有り得るか。

　発行済み株式総数が2倍になればそうなる。その会社が1：1

の株式分割を行なえば、同じ利益を2倍の発行済み株式数で分け合うのだから株価は半分になるのがむしろ当然である。

☞ 株式分割の発表はそれ自体では会社価値の増加にはつながらない。

ストックオプションを出している会社の発行済み株式数はどう計算すべきだろうか。

この答えは一筋縄ではいかない。

ストックオプションは株価を下げるか

ストックオプション（Stock Option）とは、「自分の会社の株式を将来ある一定の値段で買う権利」である。最近ベンチャー企業などが盛んに使っているので名前にはなじみのある人が多いだろう。将来会社が成長して株価が上昇した場合、この権利を行使して昔の安い値段で株式を買うことができる。その株式を買うと同時にすぐ市場で売れば、売却益が懐にはいる。もし株価があがらず、その一定の値段（行使価格）より安いままであれば、その権利は行使されずに紙くずになる。利益のまだ出ないベンチャー企業では能力ある社員に高い給料を払うことができない。その代わりにこのストックオプションを与えると、社員は将来株式が公開され、株価があがった時に巨額のボーナスが入って来る夢が持てる。つまり会社価値を高めようというインセンティブ（動機づけ）となる。そういう理由でストックオプション制度は特にベンチャー企業に重宝がられている。

仮に会社価値1億円の会社が1万株の株式を発行していたとしよう。この会社の株価は計算上

$$1億円 \div 1万株 = 1万円$$

となる。しかしこの会社が創業者および従業員に、いつでも5,000円で自社株を購入できるストックオプションを1万株分与えていたとしたら、それでも株価は1万円であるべきだろうか。

　株式を公開して1万円という「正当な」株価がついた瞬間に5,000円を払い込んで全員がその権利を行使すると考えられる。その場合株価はどうなるかというと、会社価値は1億円プラス新たに払い込まれた総額5,000万円、発行済み株式総数は1万株ふえて2万株となるので、

　　1億5,000万円÷2万株＝7,500円

になってしまう。株式市場で1万円のまま株価が推移していれば、購入権を行使すると同時にその株式を市場で売却することにより一株あたり5,000円の売却益があっさりと創業者および従業員のポケットにはいることになる。1万円という株価はストックオプションが行使されるとともに低下しているはずなのに、そのままの1万円で株を買った人は、ゆくゆく7,500円という正当な価格に向かって株価が下がって行くことを覚悟せよ、という状況に置かれてしまう。

　それでは潜在的な総株式数ということで2万株を正しい発行済み株式総数とすべきだろうか。投資家が皆同じように総株数を2万株と考えて最初から株価を

　　1億円÷2万株＝5,000円

とつけたなら、創業者や従業員にメリットがないので彼らはオプションを行使しないかもしれない。そうすると発行済み株式総数は2万株にはならない‥‥。

　このようにストックオプションを与えている会社については、オプションの行使価格、行使できる時期、会社価値に対する見とおし等々さまざまな要因が考慮されなければ「発行済み株式総数は何株

か。」という一見単純な質問にも答えられないのである。
　転換社債やワラント付社債も、原理はストックオプションと変わらない。転換社債とは、もともとは金利がついていて償還日に元本が返ってくる社債だが、一定の条件の下で株式に「転換」できる有価証券である。ワラント付社債というのは、満期に償還される普通の社債だが、おまけのような形でさきほどのストックオプションと同じく株式を一定価格で購入する権利がついているものである。これら「ハイブリッド」な社債は、株式相場の上昇局面では投資家にとって魅力的なので、その分だけ社債の利率を低く抑えることができる。1980年代後半に企業はこぞってこの低利資金調達を行ない、バブル投資にその資金を振り向けた。転換社債もワラント付社債も、株価が上昇した際には発行済み株式総数を増やして株価上昇を頭打ちにする効果を持っていることはストックオプションの事例と全く同じである。前述の

$$株価＝会社価値÷発行済み株式数$$

の原則を常識だと笑った人達の間でもこれらストックオプションや株数の増加を伴う社債インパクトをきちんと計算して株価分析をしている人は少ないのではないだろうか。

2. バランスシートと会社の値段の関係

会社の値段と企業価値は違う
　単純に株価同士を比較して高い安いを論じても、発行済み株式総数を考慮にいれなければ話にならないことはこれで明らかになった。そして前述の式からわかるとおり、会社の値段（以下会社価値と呼ぶ）は、株価と発行済み株式総数から算出できる。この金額は株式時価総額（Market Capitalization、Market Value（MV））と呼ばれており、

> 会社価値＝株式時価総額＝株価 x 発行済み株式総数

と理解して差し支えない。つまり上場会社には株式市場で「値札」がついていて、会社価値が市場によって算定されていることになる。

その一方、第一章、第二章を通じて、

> 企業価値＝将来収益（キャッシュフロー）の現在価値

という「共通言語」について説明してきた。

　企業価値と会社価値（株式時価総額）の２つの言葉を用いたのはなぜかというと、その２つは金額が異なるからである。どこから、なぜ両者に違いがでてくるのだろうか。企業価値と会社価値の差を理解するためにはバランスシートをよく見なければならない。

バランスシートの構造

　これまでは企業を金の卵を生むガチョウにたとえ、事業が毎年生み出す収益や現金（キャッシュ）の流れにもっぱら注目してきたが、実際の会社は長年の蓄積というものを持っている。それは会社のバランスシート（B/S、貸借対照表）に表れてくる。まずは［図表3-1］をもとにその構造をおさらいしよう。

　バランスシートの左側が資産、右側が負債＋資本で両者は同額で「バランス」している。資産を２つに分類する。現金・預金のような、余剰資産（Cash、現金同等物、手元流動性とも呼ばれる）と、事業活動をしていくために必要な資産（A）だ。Aには売掛金・在庫のような流動資産と工場・事務所設備のような固定資産の両方が含まれる。　負債側も２つに分けておく。事業活動から必然的に生まれてくる営業負債（B）とは仕入れを翌月末払いで行なった仕入れ債務の残高や、まだ支払っていない従業員の給料や税金などを想定すればよい。それに加えて銀行借入れや社債のような借入金（Debt）がある。これは毎年利息を支払い、満期が来たら返済しな

図表 3-1 バランスシートの構造

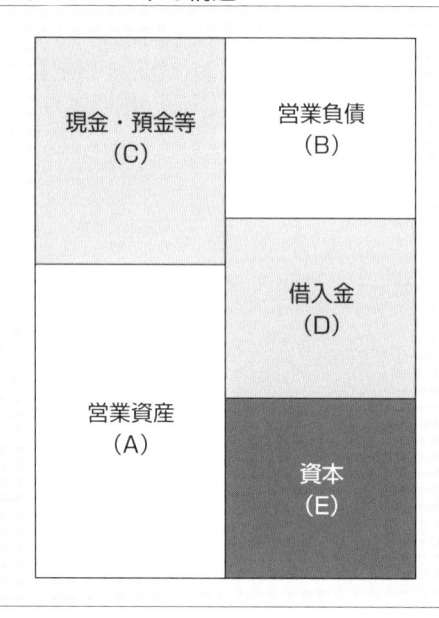

現金・預金等 (C)	営業負債 (B)
	借入金 (D)
営業資産 (A)	資本 (E)

ければならないもので、有利子負債とも呼ばれる。借入金は設備投資を賄ったり在庫の運転資金に充てたりするものだから、事業活動に必要な負債には違いない。ただ、これを借入金ではなく出資金で賄うこともできるので事業から必然的にでてくる営業負債（B）と区別しておく。

資本の部（Equity）は株主が出資した資金と会社がこれまでの活動で蓄積した利益を足したもので、純資産、あるいは株主資本とも呼ばれる。純資産（E）は会社の全ての資産（A+C）から全ての負債（B+D）を差し引いた残りに等しい。これが、株主がその持ち株数に応じて所有している部分である。

株式の時価総額とはこの簿価純資産 E が市場で取引を通じて「時価」に評価替えされたもの、と言うことができる。

片や、将来キャッシュフローの現在価値として算出してきた企業価値は、営業資産（A）と営業負債（B）を使って会社が産み出すキャッシュの現在価値である。

企業価値と時価総額の関係を解明してみると以下のとおりとなる。

企業価値と時価総額の差

　全く同じ事業資産と事業負債を持って全く同じ活動をしている２つの会社 X と Y を想定して考えてみよう。産み出すキャッシュフローは同じだとすると両社の企業価値は同じはずである。

　X 社のバランスシートには過去の蓄積として 100 億円の現金・預金があり借入金はゼロ、Y 社のそれには 100 億円の銀行借入があって現金・預金がゼロだとする。この 2 社が株式を上場しているとした場合、事業内容が全く同じ、すなわち企業価値が等しいからといって両社の時価総額が同じであるとは到底考えられない。両社がこの時点で解散した場合何が起こるだろうか。X 社の株主は営業資産の売却益に加えて 100 億円のキャッシュの分配にあずかれる。これに対して Y の株主は営業資産を売却して得られた金額から営業負債を返済し、さらに 100 億円をまず銀行に返してその残りがあればやっと分配をうけることになる。そうであるならば両社の株式時価総額は 200 億円の差があってしかるべきだろう。

　X、Y 両社の企業価値がその営業資産（A）と営業負債（B）の差額に等しい 500 億円だと仮定し、両社の時価総額に 200 億円の差がでてくる理由をバランスシートで図解すると次ページ［図表3-2］のようになる。

　このように、実際の会社のバランスシートには現金・預金等のいわば余剰資産（C）があり、同様に借入金（D）が存在する。将来キャッシュフローの現在価値としての企業価値も実際には営業資産と営業負債の差額とはならない。そのために企業価値（A－B の時価）は純資産（E）やその時価である時価総額とは等しくならない。

　企業価値（Enterprise Value、EV、業界用語としては企業「総」価値とも呼ばれる）を時価総額（Market Value, MV）から算出するには、時価総額に借入金（D）を加え、余剰資産（C）を差し引かねばならない。D－C は余剰資産で相殺した後に残る借入金で、ネット・デット（Net Debt）と呼ばれている。

図にして表現すると、[図表3-3]のとおりとなる。

図表 3-2 企業価値と時価総額の関係

X社、Y社ともに企業価値はA－B＝500億円だと仮定

| 営業資産 (A) 700億円 | 営業負債 (B) 200億円 |
| | 企業価値 500億円 |

↓

X社の会社価値（時価総額）＝600億円

営業資産 (A) 700億円	営業負債 (B) 200億円
	企業価値 500億円 ＋ 現金・預金 100億円 ＝ 600億円
現金・預金 100億円	

Y社の会社価値（時価総額）＝400億円

営業資産 (A) 700億円	営業負債 (B) 200億円
	借入金 100億円
	企業価値 500億円 － 借入金 100億円 ＝ 400億円

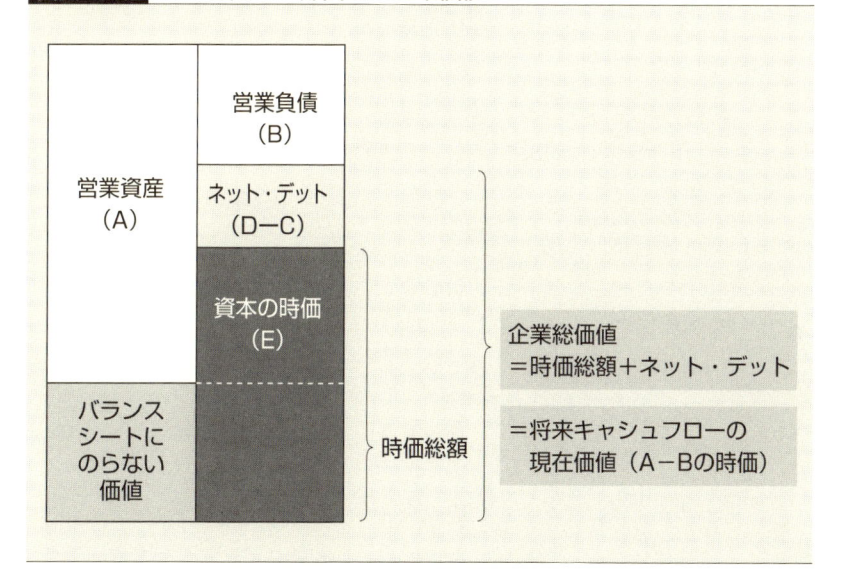

図表3-3　時価総額から算出した企業価値

```
営業資産(A) | 営業負債(B)
            | ネット・デット(D-C)
            | 資本の時価(E)
バランス    |
シートに    |
のらない    |
価値        |
```

企業総価値
＝時価総額＋ネット・デット

＝将来キャッシュフローの現在価値（A－Bの時価）

時価総額

3. ブランドや人材の価値はどこに表れるか

バランスシートにのらない価値

　バランスシート上の全資産から全負債を差し引いた差額である純資産（E）と会社の時価総額には大きな乖離が存在している。両者の差の原因は2つある。

（1）資産の時価評価と簿価評価の差
　バランスシートの資産・負債は取得時の価格に一定の会計基準に則った修正を加えたものとして計上されている。典型的なものは設備等の減価償却で、これは耐用年数によって機械的に資産価値を減らしてゆく会計上の処理である。それ以外の資産、例えば保有する土地や株式についても、バランスシートへの計上のルールは取得時の価格が基本となっている。つまり、これらの資産を実際に売却して得られる現金価値(時価)は帳簿上の価格（簿価）と異なるのがむ

しろ当然である。
(2) バランスシートに載らない資産

会社にはバランスシートに数字として表現されない営業資産がある。契約関係や特許のような無形資産には帳簿に載せられない資産もあるし、継続して事業を営んでいるが故に生まれてくるその会社固有の価値はバランスシートに記載のしようがない。後者は「のれん」や「営業権」などと呼ばれ、その中身はノウハウ、顧客関係、従業員スキル、ブランドなどから成ると言われている。英語ではこれらを総称して"Goodwill"と呼ぶ。

この2つの価値を算定してバランスシートに反映したとすれば[図表3-4]のようになる。

前述（1）の簿価と時価の差額については、2001年度からの「時価会計」導入によってかなり解消されると考えられる。これに

図表3-4 全ての価値を反映したバランスシート

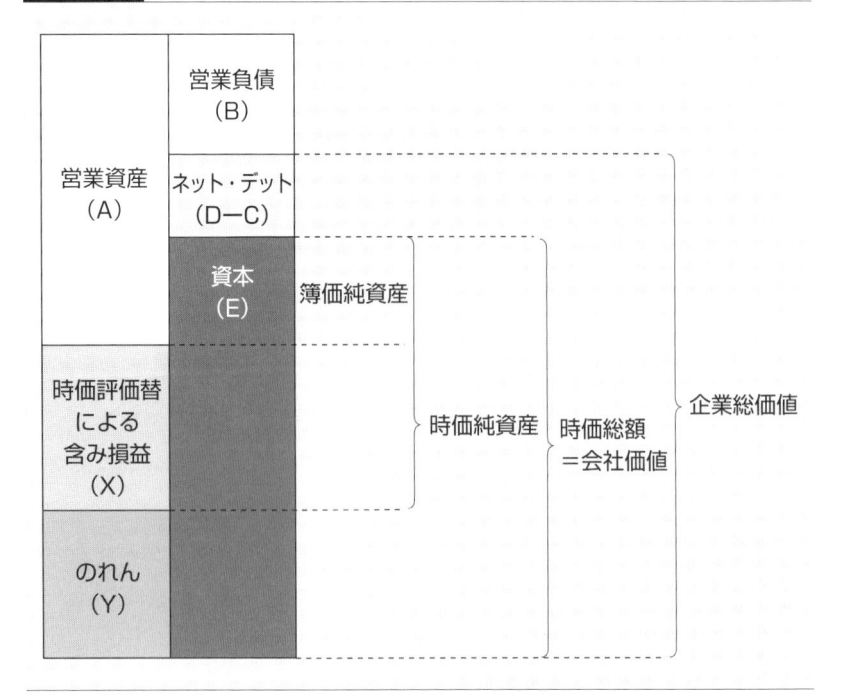

営業資産 (A)	営業負債 (B)			
	ネット・デット (D−C)			
	資本 (E)	簿価純資産		
時価評価替による含み損益 (X)		時価純資産	時価総額 ＝会社価値	企業総価値
のれん (Y)				

よりようやく図表3-4のX部分が明確になってくるならば、株式の時価総額と時価純資産の差の部分Yが、いわゆる「のれん」「営業権」価値として逆算で把握できるようになる。

「のれん」価値の算定

「世界の○○○というブランドネームは長年かけて築き上げてきたものであり、かけがえのない価値がある」
「わが社は社員の採用・教育に多大なエネルギーを費やしている。この人材の質の高さはバランスシートには表れていない資産である」
といったコメントをよく聞く。では、これを金額に直すといくらになるかと質問されると、
「そんなことは不可能だ」
と普通答えてしまうだろう。

　しかし、上場会社については、頼まなくても市場が勝手にこの価値を評価してくれている。株式の時価総額から時価に換算した実物資産を差し引いた残額（Y）として逆算でき、この差額が「のれん」、「営業権」の価値を金額に換算したものにほかならない。もちろんこれは、知的財産権、ブランド、人材の質、ノウハウ、経営者の質、等さまざまな価値をひとまとめにした総額にしか過ぎないが。

　では、市場はどのような根拠・尺度で「ブランド」や「社員の質」を数値化するのであろうか。基礎編で説明した、投資価値の算定の基本がここにまた登場する。

　金の卵を産むガチョウの話を思い出してほしい。市場が決める価値は投資価値であり、それは将来どれだけの利益・キャッシュフローをもたらすかによって決定される。ブランドネームの投資価値はどこにあるのか。同じ設備を使って同じコストをかけて生産したものが、ブランドネームによってより高い値段で売ることができ、たくさん売れる、ということが起こってはじめてブランドには投資価値が生まれる。社員の質も考え方は変わらない。同じ設備を使っていても不良品比率を低く生産できコストが安くなる、自由闊達な社

風によって画期的な新商品、ヒット商品が生まれる・・・これらの差は、通常の会社に比べての収益力の差、すなわち将来キャッシュフローがより多くなることによって現在価値という形で企業価値に反映することになる。

　逆に言えば、収益力の差となって返ってこない無形資産には市場は価値をつけない。いくら広告宣伝投資を行ってブランド認知度を高めても、それが広告宣伝費を上回って売上の増加、利益の増加に貢献しないかぎり、そのブランドには価値が無い。むしろ知名度を維持するために必要な広告宣伝費の分だけマイナスの価値となる。社員についても給料を払い、場所を提供し、教育を施すわけだから同様である。「優秀な人材」はその人材にかけられたコストや投資を上回る利益を産むことはもちろん、普通の他社では産み出せないほどの利益の上乗せ能力を数字で示してはじめてその会社固有の価値として市場に評価される。

ますます増大する「のれん」価値の重要性

　実際のところ、会社の時価総額に占めるこれら「のれん」の価値の割合はかなり高い。時価総額が純資産の２倍であれば、会社価値の半分はこういった無形の資産が形成していることになる。後に詳しく分析するセブン・イレブンではこの倍率は８倍、ヤフーでは20倍以上となっている。米国においても、かつては会社価値の20％程度がのれん価値だったのが最近では80％を占めているという分析がある。会社の値段の源泉が「どんな工場や設備、店舗を持っているか」というハード資産から「高い収益力を産み出すどんなブランド、商品開発力、生産性向上力があるか」というソフト資産に急速に移っていることは、想像に難くない。数字での裏付けも時価総額をもとに、こうして取ることができる。

　時価総額（会社価値）と会計上の純資産価値の差がこれほどまでに大きくなると、会社あるいはその商品の持つ「信用」や「ブランド」がいかに重要でかつ厳しく管理しなければならない資産であるかがよくわかってくる。同じ品質、同じコストで生産されたものが、

ブランドがつくだけでより高い価格をつけられるとすれば、それは会社価値の源泉の重要部分として株式市場で評価される。価格への利益マージンの上乗せが消費者に受け入れられることや、長期安定的な販売店関係が価値として認められるようになるには長年をかけて慎重に信用を積み上げねばならない。しかしながら、これらの無形の価値は無形であるが故に積み木くずしのようなもろさを持っており、ちょっとした気の緩みであっという間に消滅する。時には無くなってしまうだけに止まらず逆噴射を起こし、そのブランドがついていることがかえって売上を落とすことになる。大きな数字にマイナス1を掛けるだけで大きなマイナス数字になるようなもので、会社価値にとっては致命傷になりかねない。

　これが、「はじめに」でとりあげた、伝統優良企業の時価総額が1つの事件によってなぜ急落するのかという疑問に対する1つの答えである。食品メーカーが食中毒事件を起こす、タイヤ・メーカーが欠陥商品問題を起こす、といった事件により会社の株価が短期間に半分になる理由はここにある。特に時価総額と時価純資産の差額Yの大きな会社ほど、そのダメージは深刻になる。2000年夏に起った、雪印乳業とブリヂストンの事例を具体的に数字を使って検討してみよう。

ブランド失墜事故のダメージ試算

　2000年6月末、雪印乳業が大阪工場で生産した乳製品によって集団食中毒が発生するという事件が起った。1万4千人を超える発症者を出したこの事件により、雪印製品のブランドイメージは大きく傷つけられた。

　事件発生前後の株価は、6月27日に最高値619円を記録した後急落し7月12日には371円の最安値をつけた。その下落率は40％である。

　この間に会社の値段としての時価総額は同じく40％下落したことになる。わずか1ヶ月足らずの間に約800億円の「会社価値」が吹き飛んだ、というわけである。

これまでに説明したバランスシートの図を使って、会社の資産価値のどの部分がどう減少したのかを簡単に図式化してみると、[図表3-5] のようになる。
　この間、工場が無くなったわけでも多額の負債を抱えたわけでもないので、バランスシートに載っている会社の資産・負債には変化はないと考えよう。

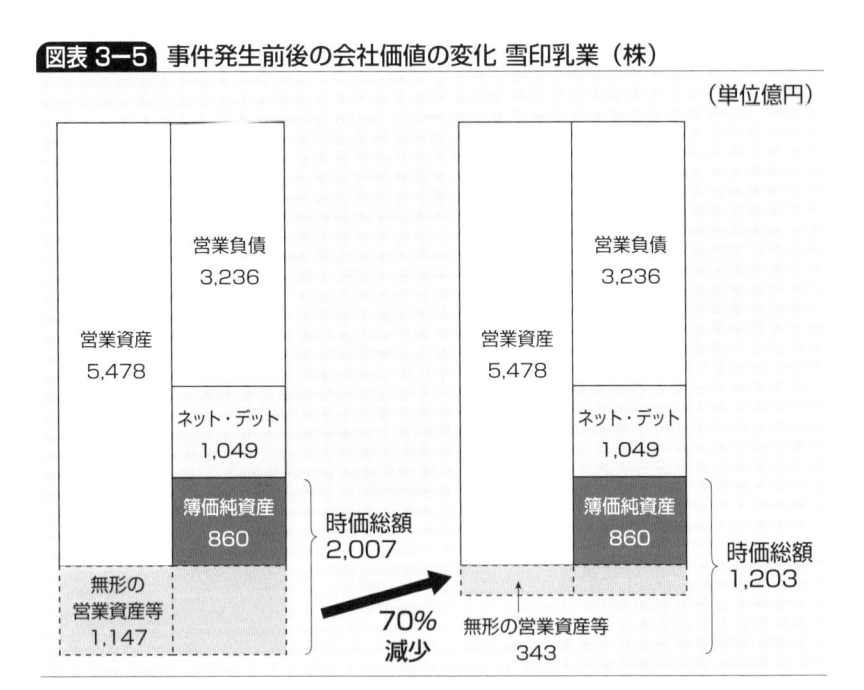

図表3-5 事件発生前後の会社価値の変化 雪印乳業（株）

（単位億円）

営業資産 5,478	営業負債 3,236
	ネット・デット 1,049
	簿価純資産 860
無形の営業資産等 1,147	

時価総額 2,007

70% 減少 →

営業資産 5,478	営業負債 3,236
	ネット・デット 1,049
	簿価純資産 860
無形の営業資産等 343	

時価総額 1,203

　雪印乳業の、2000年9月末の連結純資産は860億円。これに対し、6月27日には時価総額が2,007億円。つまり、

　　2,007 － 860 ＝ 1,147億円

がブランド、販売ネットワーク、等々の無形の営業資産価値であったと想定できる。（土地や有価証券の含み益等もあるだろうが、ここではその詳細分析には入らない。）

7月12日の最安値をもとに時価総額を計算すると、1,203億円となる。この時点での無形資産価値は、

　　1,203　－　860　＝ 343億円

　つまり、雪印乳業が持っていたはずの無形の営業資産価値は、この事件によってその70％が失われてしまった、という計算になる。2000年9月中間決算で、同社は食中毒に伴う製品の廃棄損として実損で209億円の特別損失を計上している。だとすれば、ブランド価値等の下落は差額の約600億円相当、と考えることができる。
　ブリヂストンについても同様の試算を行なってみよう。
　米国子会社ファイアストン製タイヤの欠陥問題が発覚した8月初旬をはさんで、ブリヂストン社の株価は最高値2,560円から最安値1,067円へと約1ヶ月の間に下落した。
　下落率は58％である。時価総額にして、1兆2,000億円以上が失われた計算になる。
　子会社ファイアストンを含んだ連結ベースでの同社簿価純資産との差額をとると、

　最高値ベース　　　22,048　－　7,579 ＝ 14,469億円
　最安値ベース　　　 9,189　－　7,579 ＝ 1,610億円

　ブリヂストン社の連結バランスシートに載っていない、無形の営業資産等の価値は約1ヶ月で90％近くが吹き飛んでしまったことになる。［図表3-6］
　2000年12月期の決算において、ブリヂストンはファイアストン社のリコール費用4億ドルに加え、訴訟費用として3.5億ドル、合計7.5億ドル（約800億円）を特別損失として計上した、と報道されている。これが実際に損失として失われるとしても、時価総額の減少額1兆2,000億円のうち、ごく一部の説明にしかな

図表 3-6 事件発生前後の会社価値の変化（株）ブリヂストン

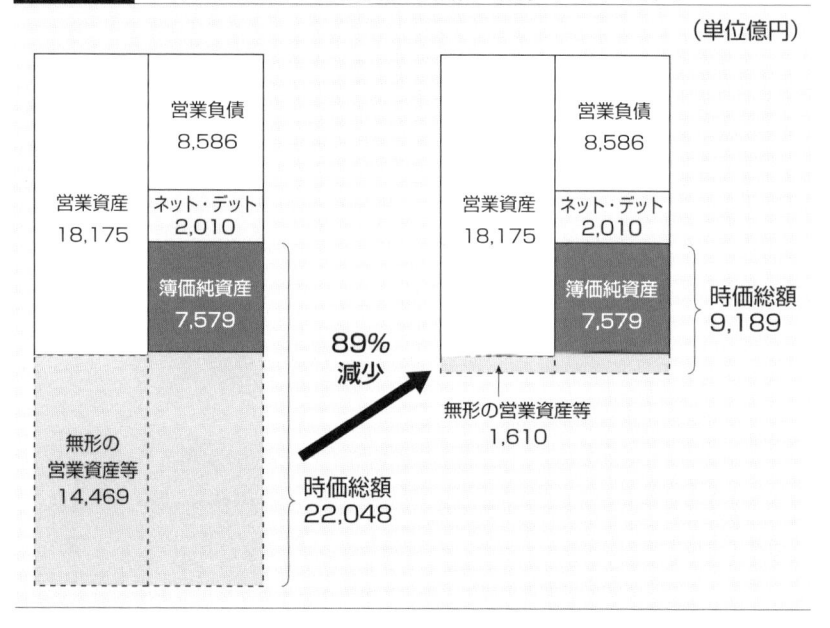

（単位億円）

事件発生前：
- 営業資産 18,175
- 営業負債 8,586
- ネット・デット 2,010
- 簿価純資産 7,579
- 無形の営業資産等 14,469
- 時価総額 22,048

事件発生後：
- 営業資産 18,175
- 営業負債 8,586
- ネット・デット 2,010
- 簿価純資産 7,579
- 無形の営業資産等 1,610
- 時価総額 9,189

89%減少

らない。米国での要補償金額がより膨らむ、米国での市場シェアを失う、等による将来キャッシュフロー減少総額の現在価値相当分がこれだけの金額に上る、ということであろうか。ブリヂストンというブランド価値に与えた損失は計り知れない。もちろんその後の株式市場低迷の影響もあろうが、この株価（＝時価総額）水準は現在も回復していない。

　長年に亘って築き上げてきたはずの価値が、むしろ会社価値の足を引っ張る要因に一瞬にして変貌するということは、投資家株主にとり許しがたい経営の失敗である。そのことが良く分かっているからか、こういう事件・事故がおこると会社トップの辞任につながることが多い。

　欧米の会社と商談やライセンス契約交渉をしたことのある人なら経験があると思うが、自社のロゴの位置、大きさや色に過剰なまでに神経質になる経営者やマーケティング担当者が実に多い。かつては私も

「ちょっとパラノイア的ではないだろうか」
と冷めた目で彼らを見ていた。しかしこれはブランドというものが、「築き上げるのに長年の投資を要し回収には時間がかかるにもかかわらず、ちょっとした気の緩みで全てが水泡に帰す。それにとどまらず、会社価値に致命的ダメージを与える」ということをよく認識していることの表れだと最近ようやく理解し、自分の浅はかさを反省している次第である。

　のれんや営業権は「超過収益力」とも呼ばれる。同じ資産を使っていながら素人企業より高い収益（キャッシュフロー）を産み出す力を意味しており、将来キャッシュフローの現在価値としての企業価値とのつながりもイメージしやすい。というわけで私は「のれん」という過去の蓄積の重みを感じさせる名前よりも「超過収益力」という将来への力強さを感じさせるネーミングが個人的には気に入っている。

基本編のまとめ

　現実のビジネス世界でどのように会社の値段が決まっていくのかを解き明かすために必要と考えられる最低限の道具立てを、以上説明してきた。これらは、知識として覚えて使う「ノウハウ(know-how)」というよりも、さまざまな局面に応用できる物の見方、考え方としての「ノウ・ホワイ(know-why)」と呼ぶべきものかもしれない。この基礎編まとめでは、これまで述べてきたことを、なぜ大切なのか、世の中の様々な活動とどう関連しているのか、という観点から整理しなおしておきたい。

共通言語で理解するということ

　企業価値は $PV=C/(r-g)$ で算出できる、という説明には、
「数字や数式に簡単に置きなおせないはずのものを無理やり置きなおしているような話で、理論としては正しくても実務には役立たない」
という感想を持たれる読者もいるだろう。
　その点について私の伝えたいメッセージは次の２つである。
　第一に、複雑な要因がからみあった現実世界は、単純化された理論を１つひとつ積み上げなければ理解のしようがない。
「世の中そう簡単に割り切れるものじゃないんだよ」

でおしまいになってしまう。結論はそれで正しいかもしれないが、このような言い方では他人を説得することはできない。先に述べた通り、米国人ないしはアングロサクソン系は、物事をシンプルに割り切って話すのが得意なところがある。数字に直しても正確ではないと分かっていても、とりあえず「もっともらしい」数字を置いてみて議論を進める、という光景を私は何度か目にした。

第二の点は、これらは欧米ビジネス・スクール等の卒業生達が常識として持っている投資価値の測り方の枠組みだ、ということである。それが重要な理由は、株価というのは「市場」が作るものであり、市場は現実として機関投資家、ファンドマネージャーが動かしており、彼らは皆この枠組みを学んでいる点に求められる。「グローバル・スタンダード」の名のもとに欧米流の発想・手法が容赦なく日本に入ってくる時代、投資判断の共通手法を理解することなく彼らと円滑なコミュニケーションはできない。

投資価値としての会社の値段は、金の卵を産むガチョウと同様に、肉付きのよさや羽の色艶ではなく、将来にわたってどれだけの金銭的利益をもたらすかの１点に絞られて決まる。そして将来の金銭的利益をどうやって現在の価値に置きなおすか、という手法としてディスカウントレートによって将来キャッシュフローを割り引くという方法が、「共通言語」として用いられている。そしてその手法において重要な役割を果たす「リスク」や「期待」という言葉にも、ファイナンスの世界特有の意味がある。それらをきちんと理解し、その意味するところをふまえて話をすることが、グローバルな経済環境下でビジネスを進める上でますます必要になってきている。

なぜ今企業価値なのか

会社に値段をつける理由は、会社を投資価値として売買対象とすることによって、蔵に眠っていた富を社会に付加価値を生み出す活動へ血液として循環させることにある。

だからこそ「企業価値」というキーワードは資本主義経済システムにおけるビジネス上の重要な共通言語となる。

世の中は常に「一寸先は闇」だ。その中で事業を興して成功をおさめようとするにはリスクがつきものである。これは危険だから避けよ、という意味ではない。ハイリスク・ハイリターンという言葉のとおり、大きな成功を目指す者には大きなリスクが伴う。それに敢えて挑戦する者達の中から、努力と才覚と運によってごくひとにぎりが成功をおさめる。そういうごく一部の成功が社会に革新をもたらし、人々の生活を豊かにし、経済成長をもたらす。これが20世紀の飛躍的な経済発展の原動力となったことは明らかだろう。そのような起業家達の野心を信じる投資家達によって、リスク資金を調達できる株式会社という仕組みができあがり、発展してきた。そういった投資家層を広げることに公開株式市場は大きな役割を果たしてきた。資本主義の権化である米国では少なくともそのとおりだったといえる。だからこそ、リスクを伴う株式市場はリスクをとらない国債市場よりも6～7％高い利回りを「株式市場プレミアム」として実現してきたのである。

　戦後の日本においては産業育成の為に資金が政策的に銀行に集中的に集められ、国策と一体となって投資配分されてきたという歴史がある。その為株式市場が本来の役割であるリスク資本の調達の場として米国ほどには意識されてこなかった。経営権の安定を図るための株の持ち合いとも相俟って、日本の株式市場は底の浅い、投機的色合いの濃い「ギャンブル的」な場所、という偏見を持たれていたといっても言いすぎではない。ブーム的に株価が上昇してはその都度遅れて大衆が参加し、こつこつ貯めてきたトラの子の資金で高値の株を掴んで損をする。こういうことを何度か繰り返してしまった為に、「素人が株に手を出すとろくなことがない」という先入観が醸成されても仕方がなかった面がある。

　それでも、日本の株式市場は1970年以降で通算して国債より5％高い利回りを実現している。ここ10年をみるとバブル崩壊の後始末にてこずり下がったままなので実感しにくいが、日本の株式市場が長期的には国債よりも高利回りを達成しているというのは元気付けられる事実ではないだろうか。「寄らば大樹の陰」「リスクよ

り長期安定」が日本では好まれているような印象を受けがちだが、リスクをとった株式投資家が正当に報われてきた過去の事実はもっと認識されてよい。株式市場が社会革新の芽を育てる、という役割を担うことを投資家は今後ますます「期待」すべきである。単なるムードや勢いで株価は短期的に変動するが、その中で相場師的に売り買いをして金儲けをするという発想からそろそろ脱却する時期にさしかかっている。高度経済成長が終わり、国策で産業をリードすることも、かつてのように銀行に長期安定資金を期待することも難しくなる日本において、株式市場がその成長・革新の牽引役を担う時代がようやくやってきたのである。だからこそ、「会社の値段はどうやって決まるか」がさまざまな日常の素朴な疑問や将来への不安の根底に横たわる、大切な問題提起となる。

　会社の値段が投資価値としての値段であることを理解すると、その価格を決める要因を分解して検討することができる。これがビジネス・スクールで教えるファイナンスという科目の基礎である。本書では核心部分のみを駆け足で解説した。企業価値は、$PV=C/(r-g)$ の公式から、①収益力（キャッシュフロー）、②その安定性（リスク）、③その成長性の3要因で決まることを導き出した。さらに会社固有のリスクを算定する為に無リスク金利、株式市場プレミアム、ベータという数値を市場から見つけ出してくるという方法を説明した。これらが企業価値算定の基本の道具立てである。

無借金・含み益経営の本質－バランスシートと会社の値段

　株式会社という制度は元来、大きな資金を必要とするリスクの高い事業を立ち上げるためにできたものである。その事業が成功して収益を産み出せば、それをリスク資金提供者（＝株主）で山分けする。これが株式会社制度の原理原則である。

　ところが実際には将来キャッシュフローの現在価値としての企業価値は、株主持ち分の価格である会社の値段（株式時価総額）と一致しない。それは会社の値段が将来の期待だけでなく、その会社の現在までの蓄積（あるいは返済すべき負債）も織り込んで決まるか

らである。企業価値から実際の会社の値段を算出するためには、バランスシートを見て過去の積み重ね部分を調整しなければならない。その蓄積部分は単純に言うとネット・デット（借入金－余剰資産）として把握され、会社の値段は企業価値（業界用語では企業総価値）からネット・デットを差し引いたものとなる。

　企業価値と会社の値段との間のギャップは特に日本の会社において顕著に表れる。

　その大きな原因は日本の会社が戦後銀行からの借入金で事業資金をまかない、利益は配当せずに蓄積して、いざという時にそなえて会社内に富を備蓄する傾向があるからだということができる。

　その美徳は多くの日本人の価値観に合うようで、日本ではよく、無借金会社や、土地や有価証券の含み益をたくさん持った会社が優良会社と呼ばれ、学生の就職でも安定性が高いと人気を博す。最近は含み益も目減りし、へたをすると含み損になっていたりするのでかつてほどではないにせよ、バランスシートに余剰資産をたくさん保有し、借入金が少ない会社は良い会社だという思想はあいかわらず根強い。

　株主の立場からは、このような会社は極めて非効率な経営だと言われてもおかしくない。米国なら株主に配当として還元すべきキャッシュをいたずらに会社に抱え込んだ経営ということで、経営者は株主総会で露骨に非難されるか、さもなくば買収の標的として狙われることになる。（この点については後述第六章3、「てこの原理による投資利回り向上」で詳しく述べる）

　これらの点については日米の経営思想の差という観点から第八章以下でも検討しているのでご参照いただきたいが、以下のポイントを、これから株価算定・Ｍ＆Ａ実務について読み進める際の視点として心に留めておいていただきたい。

　日本型の安定を優先する企業経営スタイルは、長期的ビジョンにもとづく投資が継続的にできるという利点がある。それは裏返せばプレッシャーが少ない経営で、よほど経営陣の人格・識見がしっかりしていないと放漫経営に流される。また変化への対応の機敏さに

欠けることになりやすい。

　米国型の場合、株主利益の極大化という意味での資金効率はおそらくいいだろう。株主がそういった観点から常にプレッシャーをかけることは、放漫経営を監視するという意味では必要である。しかしこの場合、今度は株主の「人格・識見」がしっかりしていないと、経営の軸足が短期的な利益追求に振り回されることになりかねない。

　将来がどうなるかはしょせんわからない。その不確実性というリスクを数値化するための共通のものさしを決めて、そのものさしで各自が思い思いの判断で投資という賭けをする。その売り買いの場所である市場をじっとながめながら、そこで暗黙のうちに共有されている要素を分析するアナリストというプロフェッショナルがいる。

　以下実務応用編では、そういったアナリスト達が活躍する株式市場において、会社の値段がどうやって決まって行くのかのプロセスを検討する。そして次に、M＆Aという会社全体の売り買いにおいてはそのプロセスはどこが同じでどこが違うか、を検討する。そして最後にM＆Aという活動が資本主義社会において新しい価値を生み出すことにどうつながり得るのか、について考察する。

実務応用編

株価算定とM&Aの実務

- 第四章　会社の値決めの実際1
- 第五章　会社の値決めの実際2
- 第六章　M&Aによる価値創造のしかけ
- 第七章　M&A現場の実況中継
- 第八章　良いM&Aと会社経営

第四章

会社の値決めの実際 1

市場による評価

　いよいよ「会社の値段」がどうやって算定されるのか、の実戦論に入る。つまりバリュエーション（Valuation）の本題である。

　もう一度投資価値の算定のポイントとなる考え方を箇条書きで整理しておこう。

* 会社の値段は、株式を上場・公開している会社については株式の時価総額と想定できる。それを発行済み総株式数で割ったものが株価である。
* 会社の値段は、企業価値（企業総価値）－ネット・デットである。
* 企業価値は、会社が将来産み出すキャッシュフローの現在価値である。
* 将来キャッシュフローの現在価値は、その会社が現在産み出している収益力、その安定性、およびその成長性、の３要因で決定される。（$PV=C/(r-g)$の定義式）
* 会社の安定性は、元本と確定利回りを国が保証している国債に比べてどれほどリスクが高いかを数値化する、ディスカウントレート（割引率）という形で表現することができる。
* ＰＥＲすなわち「当期利益の何倍か」という指標は日本・外国

> を問わず株価算定に広く使われている。これは「利益をディスカウントレートで割り算する（PV=C/ｒ）」という永続価値の定義式を裏返しに表現したもので、原理は同じである。

　会社価値の算定に必要な道具は煎じ詰めればこれに尽きる、といって差し支えない。
　実際に投資判断を下したり価格交渉を行なう場合には、あと１つ必要な要素がある。それは、
「価格は所詮市場が決めるもので、唯一絶対の会社価値なるものは存在しない」
という割り切りである。
　会社の適正価値が客観的に１つだとすると、株価は決まらない。現在の株価が適正価値より高いと思う人が「今が売り時」だと思い、全く同じその株価を適正価格より安いと思う人が「今が買い時」だと思う。適正価格が人によって異なるからこそ市場が成立する。
　株式を上場している会社なら、多くの投資家が自由に参加して売り買いを行なう。その需要と供給の一致する点として株価が決まる。そしてその株価に発行済み株式総数を掛け合わせた時価総額が会社価値だということになっている。
　それでもその価格が「適正」かどうかは検討の余地がある。その会社の中身をよく研究した人には市場で漫然と株を売買している人達とは違った適正価値を見出せることが多い。自分の考える適正価値に市場が遅れてついてきた場合にあなたは株で儲けることができる、これが株式投資の真髄だといえよう。
　株で儲ける方法については、本を読んで習得できるものには限りがあるので、いわゆるハウ・ツー的な株式投資の手法についてはここでは触れない。また、会社価値評価の手法として一般的に述べられている内容、用語については、巻末の用語集「Valuation関連」に簡単に整理しておいた。本論では、自分の判断、主観を展開するための枠組み（フレームワーク）について、以下に説明してゆくこととしたい。

1. 類似会社との比較－アナリストの王道

似ている会社は同じ値段か

　Aという上場会社の現在の株価が妥当な水準にあるか、高すぎるか安すぎるか、を判断する方法として通常思いつくことは、「他のよく似た会社と比較する」という方法だろう。これはプロのファンドマネージャーやアナリストが用いる、当たり前だが王道のやり方である。

　それはなぜか。世の中の投資家達は、数ある会社の中からA社の株を売り買いするか、それ以外の会社の株を売り買いするかを常に比較検討して判断している。従ってほかのよく似た会社の株価水準はA社のあるべき株価を「市場の鏡」として映し出すはずだからである。

　会社のオーナーや経営者が、
「わが社の株価はもっと高いはずだ。皆この会社の将来性を何もわかっていない」
と苛立つ光景をよく目にするが、市場の目はもっとクールでドライなものだと割りきった方がよい。いくら立派な将来計画を説明し、自社の可能性について力説しても、星の数ほどある会社を見比べて、そういったバラ色の話を数多く聞いてきた投資家にとって即座にピンとくるものでなければあまり意味はない。投資収益を上げることが仕事である機関投資家達や、彼らに売買のための情報提供をする証券アナリスト達は、精緻な分析を行なって市場参加者の先手を打つことのできる銘柄を探すが、一方で
「市場を無理やり一定方向に引っ張ることはできない。できても長続きしない」
ことをよく知っている。

　　オーナーや経営者が熱くなって語れば語るほど
「そう思うなら御自分でもっと買えばよろしいじゃないですか。も

っと高いはずだと言いながら高くなったら自分の株を売って儲けたいのが本音ではないですか？」
と冷ややかに受け止められてしまう。

　自分の会社の株価が不当に低いと思う場合、その理由はできるだけ客観的なほうがいい。多くの人になるほどと言わせたいのなら、市場そのものから根拠を探すのに勝る方法はない。
「ほかの似たような会社の利益水準、安定性、成長性から導かれる株価と比較して、わが社の安定性、成長性に対する評価としての株価はなぜこうなるのか・・・・」
とアナリストや機関投資家達に逆に質問した方が、よほど説得力がある。

　A社の株価の適正水準を検証するには、ほかのよく似た会社と比較するのが一番である。株式を公開していない会社の値段を算出する場合も全く同じことがいえる。
　この方法で株価、会社価値を評価する際のポイントは、

　なにをもって似た会社として比較対象とするか？
　そして、
　その会社とどの指標をもって比較するか？

　市場から読み取るべき情報とその分析のカギは上の2点に絞られると言っても過言ではない。そして似た会社や比較する指標の選び方によって算出される適正価値は変わってくる。この点を以下で詳細に検討してみよう。

似ているとする決め手

「自分の会社と似ている会社は」といわれれば同業他社を思い浮かべるのが世の常識だろう。自動車業界、食品業界、金融・・・。通常、証券会社や投資銀行の株式アナリスト達もそういった切り口で調査分野を担当する。しかしどんな場合も機械的に同業他社を数社

選んできてその平均値をとればいいというものではない。

　もう一度株価決定の基本式、PV=C/(r − g)に戻ってほしい。株式はその投資価値＝将来どれだけの金銭的利益をもたらすか、によって価格がきまるもので、肉付きとか毛並みの良さは関係ないと述べた。であるならば、C（＝産み出すキャッシュの絶対額）、r（＝安定性）、g（＝成長性）のパターンが似ている会社、これこそが同水準の企業価値をもつべき比較対象だといえる。

　同業他社と比べることの正当性は確かにある。同業であれば市場の成長性について同じ基盤を共有している。収益構造も似ているはず、すなわち外部環境からの影響の受け方や収益の安定性が似ていると想定できる。例えば化学業界であれば原油価格や世界全体の生産能力が供給過剰か否かによって製品の販売価格が一律に決まる傾向がある。セメント業界なら公共投資予算の増減により大きな影響を受けるだろう。

　しかしながら、業界トップの会社と5位の会社では、規模が違うので利益・キャッシュフローの絶対額が当然異なる。もしその業界が淘汰・寡占の方向に向かっていればトップシェアの会社と業界5位の会社では安定性（r）も成長性（g）も全く異なってくる。そういう場合はむしろ他の淘汰・寡占の進みつつある業界の5位の会社と比べた方が良いかもしれない。

　もしその会社が中国で生産し米国への輸出比率が高い、といった事業構造ならば、業種にとらわれずに同様の生産・販売パターンの会社と比較した方が実態に即しているかもしれない。なぜならどちらの会社も為替レートによって大きく収益が振れるからである。

　携帯電話サービス会社はそのユーザー層の広がり方や今後のメディアとの融合の可能性、ハード機器の価格低下傾向等が将来の成長のカギだ、と言われる。とするならば通信業界の他社ではなく家庭用ゲーム機器メーカーの中に似ている会社があるかもしれない。

　証券会社の中には「小型成長株」といったアナリスト担当分野を持っているところがある。まさに会社の成長性や、小規模ならではの将来の不安定さ、というものに着目して分析するという発想であ

ろう。

2. 比較の基準－評価に役立つ財務諸表の読み方

　比較対象としての「類似会社」を選んだとして、会社の適正価値を算出するためにそれらの会社のデータからどのような指標を算出して比較すればよいのだろうか。最も一般的なものは、市場ですでにつけられている類似上場会社の値段に対する「倍率（Multiple）」という指標である。

「何倍か」という考え方は永久還元の定義式 PV=C/r においてディスカウントレートを何％として割り算するか、と同じであり、将来収益の現在価値としての会社の値段と同じルーツを持っていることはすでに述べた。PV（現在価値としての企業価値）は市場で時価総額という形で算定されているものにネット・デットの調整を加えることによって算定できる。ディスカウントレート r の逆数である倍率を算定するためにはあとは「C」を決めればよい。

　会社のどの数字をもって C とするか、は簡単なようで実は議論し始めるときりがない。企業価値を適正に算定するためにふさわしい C の数字は会社の財務諸表のどこをどう探せばよいのだろうか。この問いに答えるために、会社の収益力の見極め方やキャッシュフローの算定のしかたについて多くの研究がなされ、多くの書物がでている。しかしながら、学術的に正しい「C」をいくら定義しても、市場で実際に株価を形成している投資家がそれを使って株の売り買いをしていないとしたら、株価や会社価値評価の実務にはあまり役立たない。先に述べたとおり、市場での価格決定に大きな影響を与える機関投資家達は何千という数の会社の、刻々と変わる数字を追いかけながら売り・買いの投資判断をしている。1 つの会社の C を見極めるのに大量の資料を取り寄せて分析し、計算をしなければならないのではとても間に合わない。ではどうするのかというと、類似会社の財務諸表から比較的簡単に取り出せる、「C」に関連ある数値を並べてみて、時価総額や企業総価値に対するそれらの倍率

が同じ水準にあるか異なるか、を比較するのである。株価や企業価値を算定するために「財務諸表を読む」というのはこの作業のことを指している。

損益計算書とキャッシュフロー計算書のしくみ

　第三章でバランスシートの見方を簡単に説明したのと同様に、まずは指標を選び出すための元資料である損益計算書とキャッシュフロー計算書の構造をおさらいしておこう。

　［図表4-1］は会社の典型的な損益計算書（Profit and Loss Statement、略してP/L）を図解したものである。P/Lは、会社がどのような収入を得てどのようなコストを支払い、その結果いくらの利益を上げたかを、上から下へと順を追って説明するための資料だということができる。その中で会社の強さ、収益力を測る指標として以下のものが挙げられる。

　売上高：これはまさしくその会社の力を表している。会社が作る製品、提供するサービスに対してお客様がその価値を認め対価を支払った、その総額である。会社のマーケット・シェア（市場占有率）は、その会社の強さ、安定性、成長性を占う指標だが、これは売上高を基に算出される。

　売上総利益（粗利益）：売上高から売上原価を差し引いたもの。売れた値段と作るのに要したコストの差額で、いわゆる「儲け」「マージン」。モノを製造せずサービス提供で対価を得るような事業では、売上＝売上総利益となるケースが多い。例えば店舗を通じてモノを販売する事業でも、フランチャイズチェーンを運営している会社の場合、売上と仕入れは発生せず、ブランドやノウハウの対価であるロイヤリティ、取扱い手数料などが売上として計上される。同業の類似会社が自前で出店している場合、フランチャイズ方式の会社の売上高と比較すべきは自前出店会社の売上総利益だ、ということになる。

図4-1　損益計算書（P/L）の流れ

△は差し引く、±は差し戻す処理

売上高

△ **売上原価**：
製品を作るために必要なコスト。材料を仕入れ、労働力を使い、生産のための機械設備を稼動させるためのコスト全てをさす。

売上総利益（粗利益）

△ **販売費及び一般管理費**：
製品を売るために必要な販売経費（営業の人件費、運送費、広告宣伝費等）と会社管理上必要な経費（経理・管理・総務・人事等の管理部門の費用、本社費用）、および研究開発費がここに含まれる。

営業利益（EBIT）

± **営業外損益**：
この主たるものは金融費用（借入金の金利）である。資産運用の結果得られる利息、配当金、売却益もここに含まれる。

経常利益

± **特別損益**：
一時的な損失や利益。営業資産を売却した際の差損益や評価損益、リストラを行なった場合等にその年度だけ特別に発生するような損益

税引前利益

△ **法人税等引当金**：
利益の中から国や地方自治体に納めるべき金額。税効果会計を採用している会社では、実際に支払う金額ではなく、当期の利益に対応する税金額として計上する。

税引後当期利益

営業利益：売上総利益から販売管理費及び一般管理費を差し引いたもの。事業運営によってもたらされる利益だが、借入金の支払金利に代表される金融収支は含まれていない。従って会社の財務内容（余剰金や借入金の有無）に関係なくあげられる利益だと言えよう。

　経常利益：営業利益に金融収支を加味したもの。さらに「営業外収支」が加味されているが、何が営業内で何が営業外か、特別損益との区別はどう行なうのか、等必ずしも明確ではなく、米国の財務諸表には経常利益にあたる項目は見当たらない。金融取引からの収益が事業の本業であるような会社ではこちらが実質的な「営業」利益となる場合もあろう。

　税引前利益：経常利益から特別損益を調整した利益

　税引後当期利益：一時的な利益や損失も加味し、支払うべき税金を計上した後に残る利益。株主が「自分達のもの」と主張できる利益だと言うことができる。

　キャッシュフロー計算書は、最近にわかに注目されるようになった計算書類である。2000年3月期から、連結ベースでのキャッシュフロー計算書の作成が義務付けられたこともあり、多くの参考書が書店に並んでいるが、会計の知識のない人にとっては内容を理解するのがかなり難しい。
　そもそも、キャッシュフロー計算書が必要とされる理由は、P/L上の「利益」と実際に会社に残る「現金」とに差がでるからである。もともと会社の「儲け」は現金としていくら手元に残ったかが重要だったはずである。しかしながら会計制度の発達とともに、ある年の本来の「儲け」を算定するには実際に現金の出入りを伴っていてもその年の損益として全てを計上しない、逆に現金の出入りを伴わないのに損益として計上する、という調整をほどこすことが適切だと考えられるようになった。前者の代表的な例は、設備投資として

生産設備を買った場合にそれを資産として計上してその年の費用（損失）に反映させない処理であり、後者の例はその生産設備を耐用年数に合わせて毎年費用化する減価償却という処理である。その生産設備が向こう10年間稼動して収益を生み出し続けるのであれば、設備を買った年だけ大きなマイナスになって残りの9年間は大きな利益が出るという会計よりも、10年間均等に費用が発生することにした方がその会社の毎年の収益力を表現するには適正であろう、という考え方に基づいている。

　ところが、このように利益や損失金額を会計上の処理によって調整するとかえって会社の本来の姿を見えにくくし、見かけ上の利益を大きく見せたり損失を先送りすることにつながる点が問題となってきた。会計上の処理をほどこした結果、P/L上は利益が出ているのに資金繰り難に陥って倒産する、という事態も起こるようになってきた。資金繰りの回らない会社の値段は限りなくゼロに近いはずなのだが、P/L上利益が出ていて、その数字に倍率を掛け合わせて会社価値を計算するといい値段がついてしまう。これが、P/Lという形で調整された収益力だけで会社の健全性や将来性を測ることの危険な面であり、キャッシュフロー計算書が注目されるようになってきた背景である。

　財務上会社がある年度の始まりに持っていた現金から、一年間事業活動を行なって、その結果年度の終わりに現金がいくらになったかを検討できる資料がキャッシュフロー計算書であり、その大まかな流れを示すと［図表4-2］のようになる。
「将来キャッシュフローの現在価値が企業価値である」という原則にのっとり類似会社間での倍率の比較対象としてどのキャッシュフローを「C」とするかについては、P/Lで見てきたのと同じくいくつか考えることができる。

　いわゆるキャッシュフロー：伝統的にはキャッシュフローと言えば税引後当期利益に減価償却を足し戻したもの、と定義されてきた。今日でも、この意味でキャッシュフローという言葉はよく使われて

図4-2 キャッシュフロー計算書の流れ

```
期首の現金残高        ＋は加える、△は差し引く、±は差し戻す処理
  │
  │    1年間の事業活動
  ↓
税引前利益
  │    ＋ 現金の支出を伴わない、会計上の費用を戻す
  │        例   減価償却、のれん代の償却
  │             引当金、準備金繰り入れ
  │             資産・有価証券の評価損
  │    ± 運転資金の増減を調整
  │        例   売掛金、在庫等が増えると運転資金は増加（キャッ
  │             シュフローは減少）
  │             仕入れ債務（まだ現金支払いしていない費用）が増
  │             えると運転資金は減少（キャッシュフローは増加）
  │    △ 費用として計上されていない現金支出を差し引く
  │        例   引当金の取り崩し
  │             税金の支払い
  │             役員賞与の支払い
  ↓
営業活動によるキャッシュフロー
  │    ＋ 有価証券、固定資産売却による収入を加える
  │        貸付金の回収による収入を加える
  │    △ 有価証券、固定資産取得による支出（設備投資、株式買収）
  │        を差し引く
  ↓
投資活動によるキャッシュフロー
  │    ＋ 資金調達による現金の増加
  │        （借入金増加、増資資金）を加える
  │    △ 借入金等の返済による現金の減少を差し引く
  │        配当金の支払いを差し引く
  ↓
財務活動によるキャッシュフロー
  │
  ↓
期末の現金残高
```

営業活動による　　　　　　　　　　フリー
キャッシュフロー　－　設備投資　＝　キャッシュフロー

いる。

　営業キャッシュフロー：営業活動を行なった結果として手元に残る現金額。P/L上の利益から、現金の出入りを伴わない項目を取り除き、さらに売掛金や在庫資金のような事業活動上でてくる必要資金（運転資金）を差し引いたもの

　フリーキャッシュフロー：営業キャッシュフローから設備投資を差し引いたもの。事業を現在のまま継続するのではなく将来成長・発展させるために必要な投資は控除した場合に、手元に残る現金額。株主が「自分のものだ」といって吸い上げても事業運営が健全に将来に向かって続けられる金額、ということができる。

　財務諸表で使われるこれらの用語は英語や略語の形で日常のビジネス会話にひんぱんに登場する。巻末に簡単に日本語と英語の対応関係をまとめた表を作成してみたのでご参照いただきたい。

評価のためのキャッシュフローと資金繰りのためのキャッシュフローの違い

　従来キャッシュフローの分析を最も熱心に行なってきたのは銀行である。貸したお金が返って来るかという観点で会社を見る銀行にとっては、会社が毎年あげるキャッシュフローで借入金を約束どおり返済できるかどうかが最大の関心である。Ｍ＆Ａの際の価格算定には通常「フリーキャッシュフロー」が使われており、この点については具体事例を使ってより細かく説明する（後述161ページ）。しかし、このキャッシュフローを会社が好き勝手に使ったり役員賞与に充ててしまったり、もしくは株主に配当してしまっては、銀行に対する返済原資がなくなり困ってしまう。つまり、銀行にとってはこの金額すべてを「フリー」キャッシュフローと呼ぶことには抵抗があるに違いない。同様に、立ち上げ間もない会社や経営難に陥った会社の経営者が最も神経を使うのは毎月の資金繰りである。手

形の決済期限を延ばしてもらったり、銀行が融資を引き揚げずに返済期限の来た借入金を再融資してくれるよう交渉したりすることに毎月末奔走せざるを得ない状況では、株主に配当はできない。株主がいつまでたっても投資回収する目処がたたない会社の株式は誰も買わないであろう。つまり本来その会社の株価はゼロのはず、ということになる。ところが、フリーキャッシュフローがプラスであれば、事業そのものには価値がある。借入金の返済にまでそのキャッシュフローが回らないだけである。その借入金額と支払い金利額を除いて企業価値を算定し、その金額から借入金総額を差し引いたものがもしプラスであれば、その会社の値段はゼロでなくプラスである、という計算が成り立つ。第三章で、バランスシートの見方として「企業価値と会社の値段は違う、企業価値（企業総価値）は時価総額という会社の値段にネット・デットを加えたものである」と述べたが、キャッシュフロー分析の側面から同じことを説明するとこのようになる。

　以上の点も考慮にいれた上での、簡単に算出でき比較指標としてよく使われている倍率が次に述べるＥＢＩＴＤＡ倍率である。

裸の企業価値に迫る指標－EBITDA倍率

　類似上場会社の時価総額（会社の値段）とその会社の利益・キャッシュフローの数字との間の関係を倍率で示しそれらを比較することによって、Ａ社の値段を算定する際に使うべき倍率が浮き彫りになってくる。これが、市場による会社価値評価の中心部分をなす考え方である。

　前述のとおり、倍率算定に使う「利益」や「キャッシュフロー」は何とおりも考えることができる。その中で、実務の世界で会社価値算定に最もよく使われている倍率は、実はＥＢＩＴＤＡ倍率という、Ｐ/Ｌやキャッシュフロー計算書に直接出ていない指標であろう。（もちろん、株価算定には伝統的にPERがよく使われているが。）

突然登場したＥＢＩＴＤＡ倍率なるものがなぜ重宝されて使われているのか、詳しく検討を加えることにしよう。

ＥＢＩＴＤＡ（イービット・ディー・エー、又はイビットダーと読む）とは、
Earnings Before Interest, Tax, Depreciation & Amortization の略である。金利の受払い、税金の支払い、償却費用差し引き前の利益をさす。（Amortization は無形資産についての償却をさす用語）。特別損失のような一時的な損益も除かれているのが通常であり、したがって損益計算書の「営業利益」に減価償却を足し戻したものと考えて差し支えない。これはいわば会社がその財務構成（借入金や余剰資産の多寡）にかかわらず事業活動そのものから産み出すキャッシュ金額はいくらか、という数字だといえよう。

減価償却は過去にすでに行なってしまった現金支出を会計上後に損失計上する処理なので、実際にはその年にはキャッシュは出ていかない。その分を戻して考えることによって、将来収益を産み出し続けるために必要な投資を行なう余力を含めて会社の強さをとらえる、という発想である。営業利益＋減価償却、と比較的簡単に算出でき、年度によって大きくブレる要因が少ないことが、実務の世界でよく使われる理由の１つかもしれない。

ＥＢＩＴＤＡという、企業のキャッシュ創出力に対応させるべき価値は、会社の時価総額ではなく、余剰金融資産や借入金を調整した後の「企業総価値」でなければならない。なぜならば、余剰資産から産み出される受取利息・配当金や借入金の支払い金利はＥＢＩＴＤＡには含まれていないので、それらの元本も捨象して会社をいったん裸の状態にしなければ一貫性がなくなるからである。

企業総価値（Enterprise Value, EV）は、61ページで検討したとおり、

企業総価値（EV）＝時価総額（MV）　＋　ネット・デット

と計算される。

したがって、EBITDA倍率は、裸の企業価値(企業総価値)が、事業活動そのものから産み出されるキャッシュの何倍か、を示す指標である。倍率の算出式は、以下のようになる。

図表 4-3 EBITDA倍率

$$\text{EBITDA倍率（EV/EBITDA倍率）} = \frac{\text{時価総額＋ネット・デット}}{\text{営業利益＋減価償却}}$$

PERとPBRは使える指標か

すでに述べたとおり、株価評価に際して最も広く用いられている倍率はPERであり、伝統的にはPBRもよく使われてきた。この両倍率の定義は、

PER（Price-Earning Ratio）：時価総額を税引後利益で割った倍率
PBR（Price-Book Ratio）：時価総額を簿価純資産で割った倍率

である。日経新聞の株式欄にも、東証全株式の平均PER、平均PBR等が毎日載っている。ウォールストリート・ジャーナルの株式欄では、すべての銘柄の高値、安値、終値の横に当該銘柄のPERが表示されている。この伝統的な両倍率について、その背景と問題点にふれておく。

PERは受身の会社価値

適正株価の算定に洋の東西を問わずPERが用いられる理由は、それが経営に参加しない一般投資家株主にとっての会社の価値に最

も近いからである。

　一般の投資家としての株主は会社の意思決定には参加しない。ただ受動的に会社があげた利益の配分にあずかるのみである。会社が毎年配当として株主に還元する金の原資は税引後利益である。毎年の税引後利益が全て株主に配分されるとすると、その配当金はPV=C/（r－g）の式における株主にとってのCと等しくなる。リスク資金を出し合った株主が、その持分に応じて毎年あがった利益を山分けする、という株式会社の原型においてPERは最も理にかなった評価方法だといえる。

　ところが実際にはすべての利益が配当されるわけではない。先に検討したとおり会計上の利益は会社が一年間の事業活動によって実際に手元に残った現金額とも一致しない。PERに頼って会社価値を算定することの問題点もそこから生まれる。

　配当されずに会社に留保されたキャッシュは株主の期待する利回りで常に運用されているわけではない。それどころか、事業活動に直接関係の薄い投資に回ったあげく大きな損失を産み出している場合すらある。そしてその処理のための一時的な特別損失や、赤字決算を避けるための「含み資産」からの益出しという行為により、ある年の会社の税引後利益がその会社の実力としての収益レベルを正しく反映しない、という事態が往々にして起こる。

　従来から利益の安定成長、一定額の安定配当を是としてきた日本の会社の多くは、長年の蓄積として利益の内部留保をもっている。それらは実際には株主の期待収益率よりずっと利回りの低い国債や定期預金で運用されていたり、多くの配当収入が見込まれない会社の株式の「持ち合い」に凍結されていたりする。時価総額はそういった余剰資産の時価を株価に織り込んで反映し、一方倍率算定の分母にあたる税引後当期利益の方は少ない運用益の分しか反映しないとすると、PERは高めになる傾向がある。

　昨今のように逆に余剰資産が不良債権化している場合はどうだろうか。それらは「特別損失」などの名目で損益計算書上処理され、その年の税引後利益を一時的に極端に小さくする。そうすると、株

価を割り算する分母が小さくなるのでまたもやＰＥＲは高めとなりがちになる。

　実際にＰＥＲを算出して比較する場合は、そういった一時的要因や特殊要因を取り除いた、「本来ベース」の税引後利益に修正しなければならない。どこからどこまでが一時的要因、特殊要因なのか、それを修正すると支払うべき税金額も変わってくるがそれをどのように修正するか、と考えてゆくと個別会社のＰＥＲを本来ベースへ修正する作業も一律機械的に行なうのが難しい。さらにつけ加えると、多大な借入金を背負っている会社は金利が上昇すると支払い利息が急増し倒産リスクも高まるので、株価はその分低くなっているはずである。つまり類似の会社といえどもその財務構成が異なるとＰＥＲは異なっていて当然、ということになってしまう。

　ＥＢＩＴＤＡ倍率という発想はそれらの要因を考慮にいれた考え方であることがここからもおわかりいただけるのではなかろうか。

PBRの持つ意味

　時価総額と簿価純資産の差は、第三章で見てきたとおり資産評価額の差（時価と簿価）と「のれん」価値の２つから生まれる。簿価純資産は、株主が実際に出資した金額プラス内部留保した利益額であり、いわば株主の投資金額の実額である。会社の時価総額がこの簿価純資産の何倍か、というのがＰＢＲであり、これは「投資した金が何倍に増えたか」という意味で株主にとって興味深い数字ではある。ただ、これはいうなれば、最初に投資した株主がいくら儲けたかを表しているだけのことで、会社の適正価値を算定するための比較資料としてはあまり意味はない。資産の時価と簿価が大きく異なっている現在の状況ではなおさらである。その差をなくすべく２００１年度から時価会計が導入されることとなった。これにより会社の純資産金額は、より「時価ベース」の純資産に近づくので、ＰＢＲは会社の時価総額に占める「のれん価値」の割合を示す指標としての意味合いを持つことにはなるだろう。（前述第三章３参照）

時価総額に占めるのれん価値の割合の高い会社、すなわちＰＢＲ倍

率の高い会社はそれだけブランドをはじめとする無形資産への依存の高い会社で、経営の舵取りを誤ると会社価値の多くが吹き飛びかねないサインとなる。

　ＰＢＲはまた、業績不振の会社や金融機関の評価には有効な場合が多い。

　ＰＢＲが１.０倍を下回っているということは、何を物語っているのだろうか。これは、その会社の値段が、その保有する資産を全て売り飛ばして事業をたたんだ価値よりも低いということを示唆する。時価会計が導入された後でまだＰＢＲが１.０以下の会社がもしあるとするならば、それはその会社が事業を行なっていることを市場が全く評価していない、むしろ赤字を垂れ流して蓄積した資産を食いつぶすのを早く止めなさいと言っていることになる。株式市場によって、「市場からの退出」をうながされている会社にほかならない。

　金融機関の場合は、金融資産を保有し、それを売ったり買ったり、貸したり借りたりして収益をあげることが事業そのものである。このような事業形態では、純資産はそういうマネーゲームを行なうための元手資金なのだから、その元手資金の何倍かというＰＢＲ指標を同業他社間で比較することは、金融機関の資産運用能力差を表すものとして意味のある評価手法だといえよう。ただし、この比較が意味を持つためには全ての資産・負債が適正な時価で評価されてバランスシートに計上されていなければならないことは言うまでも無い。含み益や不良債権はきちんと時価に直して、そこから算出される純資産を基準として市場は時価総額を算定する。

万能な指標はない

　私自身は将来キャッシュフローを現在価値に割り引くという趣旨に沿った、ＰＥＲとＥＢＩＴＤＡ倍率という２つの倍率、特に一時的要因でのブレの小さいＥＢＩＴＤＡ倍率を好んで使うが、それが絶対的に正しいと言うつもりはない。

　毎年営業キャッシュフローを産み出しつづけるためには当然投資

や運転資金が必要である。株主の手元に残るキャッシュという意味では設備投資金額と運転資金の増加分は差し引くべきではないか。これは正論である。税金は実際に支払われる以上それもキャッシュフローから差し引くべきだ、という意見もごもっともである。Ｍ＆Ａにおける企業価値算定においては実際そのような考え方が主流である。最近のインターネット系ベンチャー企業の評価にＥＢＩＴＤＡＭ倍率を用いるという考え方を聞いたことがある。Ｍとは Marketing Cost、つまり広告宣伝や販売促進費用をさす。重厚長大の設備型でない企業形態では、減価償却はそれほど発生しないが、その代わりに会員数や利用頻度を高め、ブランド価値を創ることが成長性と収益安定性のカギとなる。そのための先行出費は長年にわたって収益に貢献するいわば投資であるから、減価償却と同じように戻して考えるべきだという発想で、なるほどと思えなくもない。

　どの方法が正しくてどの方法が間違っているかをここで論じてもあまり有益ではない。時間と余裕のある限り、片っ端からすべての指標を算出することは無駄ではない。極論すれば、「似ている」と判断する会社と、どこが似ているのかに応じてその都度一番比較の対象としてふさわしい指標をその中から選べばよいのである。似ていると思われるいくつかの会社の間で、ある指標が確かに同じような水準にあるならば、市場参加者の多くがその指標を念頭において株価を形成している可能性が高い。だとすればその指標は信頼に値するだろう。

　その指標で比較した場合に、ある上場会社の数値だけがかけ離れていたとすれば、そこに株取引のチャンスがあるかもしれない。もしくはその会社特有の、財務諸表に表れていない問題があり、それを皆が知っているのかもしれない。決算数字の発表以降のその会社に関する新聞記事等を検索してみれば、その会社特有の事情が見つかるかもしれない。どのケースにあてはまるかはあなた自身が判断するしかない。

　とにかくものは試し、実際に上場会社についての倍率指標をとって並べてみて、何がわかるか、何もわからないかを検討してみよう。

102ページに掲げたのは、私が便利に使っている「類似会社比較表」フォーマットである。その説明にはいる前に、もう1つ課題が残っている。それは比較対象の数字、データはいつ時点のものを使えば良いのか、である。

いつの数字を使うのか

「将来の」キャッシュフローの見通しに基づき「今の」株価が市場で決定されるのに、「過去の」財務諸表の数字との間の倍率を計算・比較して果たして参考になるのだろうか。

この質問に対しては、「そうではないがそういうことになっている」というのが正直な答えではなかろうか。株価がついている瞬間の、その会社の経営実態を財務諸表に反映させて市場参加者の全てに行き届くよう情報開示するシステムができあがれば、それに越したことはない。現実には、ある程度古くなった情報とはいえ、共通の会計ルールに基づき嘘偽りのないものとして監査を受けて公表された数字も重要だろう。市場が共有する唯一のデータがそれであるならば、その数字を使って分析するというやり方は市場の論理に逆らってはいない。

ところが実際は、限りなく最新の経営実態を他人より早く入手した者が株式市場の次の動きに誰よりも早く対応できるという現実がある。短期的な株の売り買いで儲けようと思う人達にとっては、過去の数字をあれこれ分析して「適正価値」を算出するよりも会社の内部情報を誰よりも先に入手することの方が金持ちになる早道だと感じるだろう。そういう発想が主流を占めるのも無理はない。

これは株式市場が本源的にかかえるジレンマである。全ての市場参加者に、公平に均等に情報が素早く伝わることはあり得ない。どうしてもその道の「プロ」に情報は集まりやすい。この「プロ」とは、いわゆる兜町の相場師というような人達だけではない。巨大な資金を運用する機関投資家には、その資金目当てに証券会社・投資銀行、そして企業自身が親切な情報提供をしたくなるのが当然であ

る。リクルート事件をはじめとするスキャンダルが示すように、政治家をはじめとする世の権力者達も一般大衆より有利な立場にあるという偏見は相変わらず根強い。このような現実ないしは偏見が存在する限り、株式市場は個人からリスク資金を広く集めるという本来の役割を果たす場ではなく、金の亡者達の賭博場と化してしまう危険性を常にはらんでいる。

　日本の株式市場を開かれたもの、公正なものとすべく、市場関係者達は長年努力を重ねてきた。インサイダー取引規制、タイムリー・ディスクロージャー（適時情報開示）のルール作りが行われ、監視機関も設置された。2000年に新設されたマザーズ、ナスダック・ジャパンという新市場において四半期決算の公表を義務付けることとした背景もここにある。

　いつの時点のデータを使うべきか、に話を戻そう。3つの選択肢がある。それらは、

* 直前の年度決算期末の実績数字
* 直前の四半期決算までの過去12ヶ月の数字
* 今期以降の予想数字

である。今期および来期の決算数字については各社が予想数字を出しており、これは四季報にのっているのでそれを参考にすることができる。証券アナリストはまさにこの収益予想の分析が命であり、アナリストレポートという形で発表しているので、そういった情報を入手することは市場の動きを理解する上で重要である。

　いつ時点の数字を使うか。この問いに対する答えも一つの正解というものはない。直前の決算数字はデータ量が豊富で分析しやすいが、発表直後ですら1年近い昔の出来事の数字である。四半期決算を発表しているような会社であれば直前12ヶ月の数字というのがより会社の現状に近くなるが、開示されるデータ量も少なく、監査も年度決算ほど徹底していない。会社やアナリストが発表する予

想値は、あくまで見通しであり、かつ主観的判断のはいったものにすぎない。どれも帯に短したすきに長し、である。市場参加者も同じ数字と情報開示に基づき分析をしている以上、過去の実績、直近の12ヶ月、今後の見通しを並べてみて倍率を他の類似会社と比較し、数字の発表以降に会社の事業活動に大きな変化を及ぼすニュースがあったか、を検討しながら取捨選択するのが正解、ということになる。

3.実際にやってみよう－四季報のここを見る

倍率比較表の作り方

では実際に株式が上場されている会社を例にとって、これまで述べてきた指標を算出して比較してみよう。[表4-4]は私が簡便に会社の値段を検討する時に使っている表計算フォーマットである。会社四季報でほとんどの数字をひろうことができる。ここではコンビニのセブン－イレブンを例にとって、表のつくりを上から順に説明してゆく。

まず一番上に株価を3つ並べてみる。四季報に載っている過去6ヶ月程度の期間の最高値と最低値、そして新聞やインターネットで調べた現在の株価である。

その下には発行済み株式総数を億株単位で記入する。本来はオプション等も考慮にいれた潜在的な株式数も検討したほうがいいが、ここでは四季報にのっている数字をそのまま使う。

この2つを掛け合わせると株式時価総額が億円単位で算出できる。当然それらは最高、最低、直近の3通りの時価総額となる。

次に企業総価値を計算する。前述の通り、これはネット・デットの調整である。四季報の「有利子負債額」を借入金とし、「現金同等物」を余剰キャッシュとして差し引くとネット・デットが算出できる。セブン・イレブンの場合は無借金なのでネット・デットはマ

表4-4 四季報情報を基にしたセブン-イレブン・ジャパンの企業価値評価検討表

[企業価値]	最高値	最安値	直近
株価	8,550円	4,870円	5,000円
発行済み株式数	8.329億株		
時価総額(MV)	71,213億円	40,562億円	41,645億円
有利子負債	0		
現金同等物	3,392億円		
ネット・デット	-3,392億円		
企業総価値(EV)	67,821億円	37,170億円	38,253億円
簿価純資産	5,200億円		

(単位:億円)

[損益データ]	前期実績	当期見通し	来期予想
売上高(営業収益)	3,373	3,660	3,916
営業利益(EBIT)	1,374	1,430	1,500
減価償却費	315	315	315
償却前営業利益(EBITDA)	1,689	1,745	1,815
税引後当期利益	718	780	820

[財務指標]	前期実績	当期見通し	来期予想
売上高成長率	9.2%	8.5%	7.0%
営業利益成長率	19.8%	4.1%	4.9%
売上高営業利益率	40.7%	39.1%	38.3%

(単位:倍)

[諸倍率]		最高値	最安値	直近
PBR		13.7	7.8	8.0
PER	対 前期実績	99.2	56.5	58.0
	当期見通し	91.3	52.0	53.4
	来期予想	86.8	49.5	50.8
EBITDA倍率	対 前期実績	40.2	22.0	22.6
	当期予想	38.9	21.3	21.9
	来期見通し	37.4	20.5	21.1

東洋経済新報社 会社四季報2001年春版より。 直近株価は2001年3月30日時点のもの。

イナスの数値となる。これを時価総額に加えたもの（マイナスであれば差し引いたもの）が企業総価値である。その下には、簿価純資産として、四季報から株主資本の項目の数字を参考までに書き写しておく。これで会社の値段にあたる部分ができあがる。

　その下はその会社の損益状況に関するデータである。ここも３列並べる。前年度の実績、当年度の見通し、来年度の予想だ。因みに、数字は全て連結ベースのものを用いる。会社価値として株主が見るべき対象は子会社も含めたグループ損益でなければ意味がないからである。

　その３期分の売上、営業利益、償却前営業利益（ＥＢＩＴＤＡ）、そして税引後当期利益の４つのデータをタテに並べる。減価償却は最近の四季報ではたいていの会社が前期実績と当期予想を開示している。開示されていない場合は実績並と置いておく。

　以上で全てのデータを埋め終わり、あとは分析となる。表計算ソフトを使って算式をあらかじめフォーマットにいれておけば自動的に各種指標を計算してくれる。

　まずは財務指標という項目で、売上と営業利益の成長率を前年比の伸び率で計算する。さらに営業利益を売上高で割った営業利益率を計算する。これらの指標は３年分ならべてみることにより会社の成長性と安定性、収益性を検討する材料になる。

　そして最後に諸倍率を計算する。ここには純資産倍率（ＰＢＲ）、株価収益率（ＰＥＲ）、そしてＥＢＩＴＤＡ倍率の３種類の倍率をタテに並べる。横には最高、最低、直近の３通りの時価総額・企業総価値を上段より持ってくると、ＰＥＲとＥＢＩＴＤＡ倍率は３期分の数字と３通りの株価のマトリックスができあがり、合計９通りの倍率がそれぞれについて並ぶことになる。これにより会社の値段を算定するための倍率の幅（レンジ）がざっくりとつかめる。平均値を算出するのも１つのやり方だが、強いて一つの倍率を取るとすれば、直近の株価を当期見通しか来期予想数字で割った倍率に私は注目する。つまり倍率マトリックスの右下の数字である。株価や企業価値は将来見通しを現在価値にしたもの、という基本にの

っとれば、過去の実績より先の見通しに注目すべし、というのがその理由である。

　セブン-イレブンの例でいうと、直近（2001年3月末）の株価と来期（2001年度）予想を元にする諸倍率は、

　PBR＝8.0倍
　PER＝50.8倍
　EBITDA倍率＝21.1倍

となる。

　これらの倍率をどう評価すればいいのだろうか。類似会社と比較すればよいのである。

コンビニ4社比較

　全く同じフォーマットを使って、上場されている同業他社のデータおよび倍率を一覧したのが［表4-5］である。この表から、株式市場参加者がこれらの会社の企業価値をどう評価しているかを読み取ることが、ある程度は可能である。

　まず企業総価値に注目してみよう。業界1位のセブン-イレブンの企業総価値は群を抜いている。3兆800億円と、2位ローソンの実に10倍以上だ。

　3位のファミリーマートは2位ローソンと比べると売上水準は2/3程度だが、企業総価値では1/2弱になる。競争が厳しい業界で、上位にいないと将来性についての投資家の見方が厳しいことが読み取れる。その事実を反映した戦略決定の結果か、サークル・ケイ（2001年7月シーアンドエスに社名変更）とサンクスは2001年度に事業統合することが発表されており、来期予想値はこの2社を合計したものになっている。最近の株価は当然、この統合を織り込んでつけられているだろう。両社の数値を合算してみると、来期予想の収益（EBITDA）は3位ファミリーマートに肩を並べることになり、企業総価値はファミリーマートを上回る。

表4-5 2000年3月30日の株価をもとにしたコンビニ4社比較表

競合第二位の10倍以上という圧倒的に高い企業価値

(単位:億円)

会社名	セブン-イレブン・ジャパン	ローソン	ファミリーマート	サークルK+サンクス合計
企業総価値 (EV)	38,253	3,587	1,777	2,517
簿価純資産	5,200	1,727	1,226	947
[損益データ]	2002/2期予想	2002/2期予想	2002/2期予想	2002/2期予想
売上高(営業収益)	3,916	2,650	1,763	1,400
営業利益 (EBIT)	1,500	440	214	240
減価償却費	315	150	109	67
償却前営業利益 (EBITDA)	1,815	590	323	307
税引後当期利益	820	175	81	126
[財務指標]				
売上高成長率	7.0%	−4.0%	0.6%	−1.4%
営業利益成長率	4.9%	4.8%	−10.1%	0.4%
売上高営業利益率	38.3%	16.6%	12.1%	17.1%
[諸倍率]				(単位:倍)
PBR	8.0	2.5	1.5	3.0
PER	50.8	24.9	23.4	22.4
EBITDA倍率	21.1	6.1	5.5	8.2

安定して高い財務指標

競合他社に比べ格段に高い諸倍率

東洋経済新報社 会社四季報2001年春版より。 企業総価値は2001年3月30日時点の株価より算出。

先頃500店の店舗閉鎖を発表し、成長の勢いに疑問符がついたファミリーマートに対し、合併効果への期待が織り込まれているのかもしれない。

　それにしてもセブン−イレブンに対する評価はなぜこれほど高いのだろうか。財務指標を他社と見比べてみよう。

　売上高の成長率は8％前後と安定的で、他社のようなでこぼこがない。過去をもっとさかのぼってみれば、安定した高成長を達成してきており、経営手腕に対する投資家の信頼の高さが感じられる。そして注目すべきは営業利益率の抜群の高さである。営業収益はフランチャイズ料収入と自営店売上の合計である。自営店比率が低いと営業利益率が高く出てしまうので数字づらだけで結論を導いてはいけないが、大きな赤字店舗がなくどの店もしっかりと運営されていなければこういう利益率は達成できないと想像される。

　これらの要因が倍率の差として表れてくる。ＥＢＩＴＤＡ倍率で、セブン−イレブンの20倍に対して他は6倍程度という大きな差となっている。ＰＶ＝Ｃ/（ｒ−ｇ）の定義式を思い出していただければ、収益力(Ｃ)、安定性（ｒ）、成長性（ｇ）の全てにおいて他を凌駕しているとこのような差になるのも納得できうる。

　さらに検討を加えるために、小売・流通業界で同じような強さを発揮している会社を見つけて比べてみよう。ユニクロブランドで急成長中のファーストリテイリングならどうだろうか。早速四季報から数字を同じように拾ってみると［表4-6］のとおりとなる。

　まずファーストリテイリングの決算期が8月で、他のコンビニの2月という決算と半年ずれていることに注意しなければならない。つまり、ファーストリテイリングの損益データはコンビニのそれより半年新しい。同じ基準で比較するということなら、ＥＢＩＴＤＡ倍率の当期見通し9.9倍と来期予想7.7倍の間の8.8倍がコンビニの対来期予想倍率と比べるべき倍率となる。ＥＢＩＴＤＡ倍率約9倍というのは、セブン−イレブン以外のコンビニに比べるとやはり高いものの、ユニクロの高成長・高収益実績からするとそれほど高いとは感じられない。市場はユニクロがこのまま店舗数を

表4-6　四季報情報を基にしたファーストリテイリングの企業価値評価検討表

[企業価値]	最高値	最安値	直近
株価	32,200円	17,000円	20,800円
発行済み株式数		0.530億株	
時価総額（MV）	17,066億円	9,010億円	11,024億円
有利子負債		100億円	
現金同等物		997億円	
ネット・デット		−897億円	
企業総価値（EV）	16,169億円	8,113億円	10,127億円
簿価純資産		664億円	

(単位：億円)

[損益データ]	前期実績	当期見通し	来期予想
売上高（営業収益）	2,290	3,945	5,000
営業利益（EBIT）	606	1,010	1,300
減価償却費	8	9	9
償却前営業利益（EBITDA）	614	1,019	1,309
税引後当期利益	345	567	700

[財務指標]	前期実績	当期見通し	来期予想
売上高成長率	106.1%	72.3%	26.7%
営業利益成長率	323.8%	66.7%	28.7%
売上高営業利益率	26.5%	25.6%	26.0%

(単位：倍)

[諸倍率]		最高値	最安値	直近
PBR		25.7	13.6	16.6
PER	対　前期実績	49.5	26.1	32.0
	当期見通し	30.1	15.9	19.4
	来期予想	24.4	12.9	15.7
EBITDA倍率	対　前期実績	26.3	13.2	16.5
	当期予想	15.9	8.0	9.9
	来期見通し	12.4	6.2	7.7

東洋経済新報社 会社四季報2001年春版より。直近株価は2001年3月30日時点のもの。

拡大しつづけ、セブン－イレブンのように利益率を落とさずにいられるかどうかについてはまだ確信をもっていないのだろうか。中国からの繊維製品輸入の問題等もあり、ユニクロの安定成長・安定収益力は、フランチャイズ制で「勝ちパターン」の自己増殖が期待できるセブン－イレブンほど磐石ではないと評価されているのかもしれない。いずれにせよ各店の競争力が圧倒的で、競合他社をなぎ倒していくような勢いの成長力があればこそのセブン－イレブンの高倍率なのはこの比較からも推察できる。

　私はアナリストではないのでこれ以上のコメントはできないが、少なくとも今の市場がセブン－イレブンの強さをそのように評価していることはわかる。若干業種は異なるが、ではファーストフード業界の雄マクドナルドは市場でどのように評価されているのだろうか。本書の執筆を始めたころにはまだ未上場であったマクドナルドは7月26日に株式公開を果たした。前年度実績をもとに手元で簡単に計算してみると、上場初値はEBIDA倍率で約15倍という価格がついた。セブン・イレブンほどではないがファーストリテイリングよりも高いこの倍率は、私自身の感覚では「なるほど」という水準である。この後株価はどのように推移してゆくのか。本書が店頭に並ぶころには市場で活発に株取引が行なわれ、アナリストレポートや四季報で今期・来期の予想も出ているだろう。その頃にはセブン・イレブンやファーストリテイリングについても新たな実績や業績予想が出され、その2社の株価も変化しているに違いない。このように類似会社と比較しながらその時々の市場での値付けを観察することが株式投資の醍醐味ではなかろうか。そしてこの簡易表を作成するのに、四季報とインターネットでの株価検索を使えばほんの5分ほどしかかからないのである。自分なりの「会社の見方」、「業界の見方」を鍛える手段としては悪くない。

自動車メーカー5社比較

　もう1つ、読者の多くにとり馴染みのある名前が並ぶ業界、ということで自動車メーカーについてどんな分析が可能かを試してみ

よう。[表4-7]は日本の自動車メーカー5社のデータを横並びにしたものである。フォーマットはコンビニのものと全く同じものを使う。

　第一位のトヨタがコンビニ業界におけるセブン－イレブン同様に他を圧倒しているかというとそうでもないことがわかる。トヨタの企業価値は事業規模（売上高）の1.4倍。日産、ホンダは売上高と企業価値が同じ程度となっている。2000年3月30日時点の株価と、翌々日から始まる翌期の予想値をもとにＥＢＩＴＤＡ倍率を算出すると、トヨタは13倍程度で、日産、ホンダの10倍よりやはり高いが、むしろ下位のマツダや三菱自工の方が高い。収益性や成長性がこの倍率差に表れている、という理由では説明がつかない。「市場は正しい」と謙虚な姿勢でなぜこうなるのかを考えてみよう。

　マツダと三菱自工については、リストラの最中で、分母の償却前営業利益が一時的費用で実力より小さくなってしまっていることが考えられる。両社とも当期・来期の営業利益は赤字を予想している。実力ベースの数字がいくらなのか、というのはリストラ効果がでた時点での収益力がどれほどになるかを分析せねばならず、素人の手には負えない。

　日産はどうだろうか。ルノーの資本参加、ゴーン社長のリーダーシップで収益力が急回復しているのが営業利益率の大きな改善となって数字に表れている。市場は日産の収益性と安定性、成長性についてトップ3の一角としての同等の評価をしていることが読み取れる。

　では肝心のトヨタはどう見られているのだろうか。セブン－イレブンほどの高倍率にならない理由はいくつか考えられる。

　まずは自動車業界自体が成熟産業だということである。どの会社も売上の成長率は頭打ち状態にある。市場が飽和していると最近言われているコンビニでも5％程度の伸びが見込まれているのとは違い、市場規模の拡大そのものに限界が感じられる。そういう業界ではトップシェアの会社の方がかえって大変かもしれない。

表4-7 2000年3月30日の株価をもとにした自動車メーカー5社比較表

（単位：億円）

概ね事業規模（売上高）に連動した上位3社の企業価値

会社名	トヨタ自動車	本田技研工業	日産自動車	三菱自動車工業	マツダ
[企業価値]					
時価総額（MV）	162,864	49,869	31,442	5,101	3,727
企業総価値（EV）	192,704	61,163	53,616	20,200	8,686
簿価純資産	68,991	20,424	7,620	2,588	1,778
[損益データ]	2002/3期予想	2002/3期予想	2002/3期予想	2002/3期予想	2002/3期予想
売上高（営業収益）	138,000	65,000	60,500	32,000	20,200
営業利益（EBIT）	8,300	4,600	3,100	−100	−50
償却前営業利益（EBITDA）	14,900	6,300	5,500	1,000	450
税引後当期利益	4,000	2,600	2,100	−300	−180
[財務指標]					
売上高成長率	3.0%	3.3%	−0.3%	−3.0%	−2.4%
営業利益成長率	3.8%	13.6%	24.0%	N.M.	N.M.
売上高営業利益率	6.0%	7.1%	5.1%	−0.3%	−0.2%
[諸倍率]					（単位：倍）
PBR	2.4	2.4	4.1	2.0	2.1
PER	40.7	19.2	15.0	−17.0	−20.7
EBITDA倍率	12.9	9.7	9.7	20.2	19.3

トヨタの倍率は2位グループよりEBITDA倍率で3割程度高め

業績急回復によりホンダ並の評価

営業赤字が予想される状況下では利益倍率はあまり使えない

東洋経済新報社 会社四季報2001年春版より。 直近株価は2001年3月30日時点のもの。

もう1つは、自動車業界がグローバルな競争市場だという点である。これは明らかにコンビニ業界とは違う。最強のトヨタといえども海外の大メーカーが資本参加している競合他社をなぎ倒すような成長をつづけて国内、さらには世界での市場シェアをますます高めるのは簡単なことではない。さらに、日本の自動車メーカー自体がグローバル会社化していることを考慮にいれねばならない。わかりやすいポイントとして、為替レートが収益に与える影響が大きいことがあげられる。代表的な輸出産業である自動車メーカーは円安になると収益が急増する体質をもっている。これらは将来収益見通し作成上どう分析すればよいのか・・・。

表4-8　世界の自動車メーカーの倍率比較

メーカー名	PER	EBITDA倍率
GM	6.4	2.0
フォード	8.7	3.3
ダイムラー・クライスラー	15.1	4.2
BMW	24.3	5.6
フォルクスワーゲン	13.4	4.1
プジョー	10.7	4.1
ルノー	13.3	4.6
フィアット	74.7	4.5
ポルシェ	24.8	9.1
ボルボ	25.3	6.9
ヒュンダイ	7.7	4.0
キア	11.3	3.6
海外メーカー平均	**19.6**	**4.7**
トヨタ	31.0	9.9
日産	11.2	8.9
ホンダ	19.8	6.9
三菱自工	-2.1	18.8
マツダ	-7.1	19.9

出所：Goldman Sachs Autos Research (March 2, 2001)

グローバル競争、リストラ効果、為替レートの影響、といった要因まで織り込んで、適正な企業価値水準、倍率水準を見極めるのは四季報レベルの簡易分析では正直いって手に負えるものではない。
　［表4-8］は、世界の自動車メーカーのPERとEBITDA倍率を比較してみたものである。ゴールドマン・サックス証券作成のもので、アナリストの塩原氏によると四季報より細かな財務分析を行ない、数字を修整した上で倍率を出しているので私の簡易表と倍率自体も違っている。この表で見ると、トヨタの9.9倍というのは外国メーカーに比べてかなり高い水準にあることがわかる。トヨタは海外でも株式を上場しており、外国人持株比率も高いので、企業価値を見る投資家の目もグローバル・スタンダードに近いと想定される。その結果としてこの比較倍率を見れば、トヨタが世界の自動車メーカーの中でも高い評価を受けていることがわかる。

　「いくらこのような分析をしても、結局どの会社の株を買うべきかの判断材料にはならないではないか」と言われればその通りかもしれない。それでもこの作業には意味がある。簡単なフォーマットで、四季報程度の情報でも、このように企業価値や倍率を出して比べてみることによって、市場がどうしてそれぞれの会社について今の株価をつけているのか、あれこれ考えるきっかけができる。そうやって個々の会社を見ることによって世の中のしくみや新聞で話題になっているニュースの意味がより見えてくる。これが重要なことであり、グローバル共通言語を持って金融の専門家や外国のビジネスマン達と話をするために必要な道具だてとなる。

column

安定株主は企業価値をゆがめるか
－市場による評価の現実と限界

　以上、市場において値札がついている上場会社について、その価格形成の考え方と分析手法を検討してきた。実際には、会社の発表する収益予想（C）はひんぱんに変更され、将来の成長性（g）や安定性（r）は景気や金利・為替といった外部要因によって投資家の見方が刻々と変わるので、結果として株価は常に変動せざるをえない。

　会社の社員にとっては、毎日同じように活動している自社の価値が短期間に倍になったり半分になったりするのはどうしても実感にそぐわないであろう。しかし、会社の値段が不確定な将来を「推測」しあって投資家達が市場で決めるものである以上、外部の環境や心理的な要因で上下するのはいわば会社の投資価値の「性（さが）」である。

　この現実を素直に受け入れれば、ある会社の「適正価格」を算定するカギはすべて実際の市場から見つけ出すべきだ、という考えが正攻法であることがわかる。すでに株式を公開している他の類似会社について市場参加者がどう見ているかを観察・分析すれば、そこからさまざまな情報が得られる。

　上場会社との比較という会社価値算定方法は王道ではあるが、もちろん限界もある。これは先の自動車メーカーのような例にとどまらない。それは日本の株式市場自体がそれほど効率的な価格形成の場になっていないのではないか、という懸念によるものである。

　企業の情報開示の必要性が認識され、連結決算、時価会計、重要事実の適時開示、四半期決算等々、グローバル・スタンダードに立脚した情報開示体制に日本も近づきつつある。これらの方向性は確実に日本の会社の「適正価値」を検証・算定するのに役立つだろう。

　それでもまだ、日本の株式市場における会社価値形成については特殊な要因がある。それは典型的には「持ち合い」といった風習に表れている。

column

　最近とみに株式持ち合いの解消が株価に与える影響がとりざたされているので、これまで説明してきた共通言語の発想で検討を加えてみよう。

　株式の持ち合いとは言葉のとおり、2社以上の会社がお互いの株式を保有しあう商慣習のことである。株式の発行によって調達した資金は本来その会社の事業の成長・発展のために使われる。しかしながら、「持ち合い」を約束した場合、会社Aが発行した株式を会社Bが購入し、会社Aはその調達した資金で会社Bの株式を購入する。その結果、資金は動かないまま発行済み株式総数だけが増えたのと同じことになる。この方法によって、戦後に解体された財閥系企業群は、相互に株式を保有し合い経営の実質コントロールを企業集団内の「身内」で確保した。

　これに加えて、株式の持ち合いと似たような機能を果たしてきた株主に、いわゆる「安定株主」という存在がある。生命保険や銀行のような金融機関が典型で、会社の取引先が保有する株式もこの範疇にはいる。

　これらの「経営権安定化」自体を悪だというつもりはない。グループの総合力を使って戦後日本経済を急成長軌道に乗せる過程で「身内」に経営権を集中させて迅速な意思決定と実行の体制を作ることは日本人の共同体的な感覚に合致する。それらの会社に投資した一般株主は、企業集団の成長を通じて株価の上昇を享受できたのだから文句を言う筋合いはない。

　資本の蓄積がない時代に、成長途上の日本企業の支配権は米国をはじめとする外資や金にものを言わせる乗っ取り屋の標的となりやすかった。もしそういう人達が株式を買い占めたとしたら、戦後日本の経済復興によって産み出された富の多くが勤勉な労働者以外の世界に流出してしまったかもしれない。そう考えると、大人になって世界で経済的に独り立ちできるようになるまでの間、株主、経営者と労働者が一体となって「身内」で経営支配権を固めるということには意義があったと納得できよう。

　このような「持ち合い」「安定」株主をこれまで検討してきた株価決定の考え方に照らして考えると、次のような解釈ができる。

　持ち合い株主や安定株主は純粋な投資家ではない。投資家は、会社株式を単なるのっぺらぼうの金融商品として評価し、将来の金銭的利益のみを

期待して株式を売買するものとされている。そのような投資家が市場参加者であることを前提として今まで、「答えは市場にころがっている」と説明してきた。ところが、持ち合いをする企業集団群や安定株主となる金融機関・取引先株主の投資動機は、株式保有から得られる金銭的利益以外のところにある。彼らはガチョウが産み出す金の量ではない、その会社のいわば「利用価値」に着目している。極端な言い方をすれば、会社の将来キャッシュフローが小さくなろうとも、会社との取引関係から自分たちが得られるメリットさえ確保してくれれば経営陣に文句はない。お互いに株を持ち合っていれば、自分の会社の経営陣信任票と引き換えであるからなおさら経営批判の矛先は鈍らざるを得ない。本来機関投資家として大衆から預かった資金の運用利回りを高めることに務めるべき銀行や生命保険会社までが、純粋な投資家としてでない取引関係を有しているというのは、資本市場としてはかなりゆがんだ構造である。銀行にとってはその会社が融資をどんどん受けてしっかり利息を払ってくれることが何より嬉しく、社員の預金口座を獲得して給与の払込等を一括で任されるからこそ株式を保有している、というのが本音であろう。生命保険会社も同様に会社社員の保険契約や年金の取り扱いという利害関係を有している。

　日本の上場・公開会社株主のかなりの部分はこのような、真の投資家でない株主によって占められているというのが実情である。東京証券取引所の資料によると、2000年3月末現在、事業会社＋金融機関＋生命保険で全上場株式の50％以上が占められている。彼らの全てがというわけではないが、その多くは株価について将来キャッシュフローの現在価値などという発想は持っていなかったと言っても過言ではない。それにより市場で自由な投資家によって株価形成される為の「流通株」は少なくなり、結果として日本の株式市場は「思惑」や「政策的意図」での売り買いによって株価の上下しやすい、底の浅い市場となってしまった。

　90年代以降金融機関は不良債権の処理に追われ、投資価値を持たない株式をバランスシートにのせつづけることができなくなった。事業会社側も、自己資本が充実し資金調達の方法が多様化されるにつれて、銀行に依

column

存する必要性が下がり、株式を安定的に保有してもらわなくともよい状況が生まれつつある。（或いは株式を保有してもらっていても融資してくれなくなったという状況もあるかもしれない。）その動きが金融再編を通じて一気に加速し、これまで南極大陸の氷のように凍結されて動かなかった株式が流動化して市場に放出されはじめたのが日本の株式市場の現状である。それによりしばらくは日本の株式市場は過渡的な乱気流の中におかれるだろうから、これまで説明してきた株価算定方法ではうまく説明できないような株価形成が行われることは十分にあり得る。

　それでも経済のグローバル化の中で日本企業が活躍しつづける限り、そして日本市場が世界経済の中で無視できない規模でありつづける限り、日本の株式市場もグローバル・スタンダードないしはアメリカン・スタンダードに近づかざるを得ない。外資系証券会社や機関投資家の活躍の場が広がるにつれて市場での実際の株価形成も本章で述べてきた基本的枠組みの中で理解・説明できるケースが増えてくることが期待される。

　皮肉な話だが、株価形成が合理的になされていない市場というのは株式で大もうけするチャンスの大きい市場である。そのゆがみにいち早く気づいた者は、そのゆがみが是正されていく過程でさや取りができる。米国の市場で鍛え上げられたプロの投資家たちにとって、米国的に変化してゆく過程にある日本の株式市場に多くのチャンスがころがっていると考えるとしても、不思議なことではない。

第五章 会社の値決めの実際 2

会社を買収する場合

　M＆Aという言葉もここ数年の間にすっかり日本に定着し、毎日のように新聞やテレビのニュースで取り上げられるようになった。ただ、M＆Aにおける買収価格算定や交渉の進め方の実際については、ごく一部の専門家の特殊なノウハウの世界という感があり、そのダイナミズムを分かりやすく説明した書物はあまり見かけない。

　本章以降では、会社を丸ごと売り買いする際の価格算定について、M＆Aという経済行為が一体何なのかというそもそも論に立ち返りながら解説する。

　これまでに述べてきた「経営・財務の共通言語」、「企業価値算定の基本原理」「市場における価格算定」のすべてが買収価格を算定する作業のベースになっている。その意味で、M＆A活動は経営・財務上の諸問題の集大成だ、ということができる。冒頭にご紹介した合弁解消交渉のエピソードについて、「専門用語ばかりで何を言っているのかよくわからない」と感じられた読者も、今読み返していただけば、のれん価値についての私の反論内容がすんなり頭にはいるようになったのではないかと期待している。ここから先はあの交渉における、「将来キャッシュフロー計画を作り現在価値がいくらになるかの水掛け論をやる」状況に陥った場合の会社価値算定の手法である。

まずは本章でM＆Aにおける会社価値算定の手順と手法を概略する。次章ではM＆Aという手法が資本主義の原理原則にのっとったものであり、経済が成長し活性化してゆくための典型的な手法であることを、実務的な観点から解明する。第七章では会社の「適正」価値が買い手によって、用いる財務手法によって異なってくる理由を、具体例を使って解説する。そして第八章でその考え方が「よいM＆A」とは何か、どうやってM＆A交渉を行なうか、に対する答えに自然につながることを示してみたい。

　一言でM＆Aといっても、その形態はさまざまある。合併、株式買収、資産買収、資本参加、TOB、企業分割・・・、と、M＆Aに関する用語は多数あり、それらの区別の多くは法律上、会計上、税務上の問題である。書店に並んでいるM＆A解説書はそういった分野のプロの専門家が書いているので、これらの用語や形態の違いや特長を論じているものが多い。それ故に「M＆Aは専門的で複雑だ」という印象をあたえてしまいがちで、多くの人にとりM＆A活動を縁遠い存在にさせてしまうのかもしれない。

　しかし、なぜそもそもそういう取引をするのだろうという観点から見れば、上記のM＆A活動はすべて、会社や事業部門に値段をつけて売り買いしたり、交換したりする行為であり、最終的には株主にとっての投資価値をいかに高めるか、という視点が起点となっていることがわかる。

　本書では、企業価値、会社価値の評価というM＆Aの本質部分に焦点を絞って、会社全体の売買における評価の考え方と手法の話に入ることとしたい。M＆Aの諸形態については巻末関連用語集で簡単に図解して整理してみたので、ご参照いただきたい。

1.市場による評価と買収価格評価の差

買い手の立場からみると株式投資もM＆Aも、それによって投資収益をあげることを目標にして会社価値を算定するという点で共通している。株式という、小口化された会社持分の値段の算定方法は、会社全体の値段の評価手法と基本的に変わらない。

手法に違いはないが、その段取り、進め方、数字のおき方が異なることから結果的に算定価格も異なってくる。

段取りと進め方の上での違い

M＆Aにおける会社価値評価は株式投資における株価評価よりも詳細にわたるデータに基づいて、より突っ込んだ形で行なわれる。具体的には以下の2点が評価作業上の大きな特長である。

1. 対象会社の資産・負債内容、それらの時価評価がより詳細に行われる（買収監査、またはデュー・ディリジェンス）。

一般に開示されている情報だけでは、その会社の実体をつかまえきることはできない。買い手としては十分な情報開示なしに「とにかく値段を付けて支払え」といわれても、おいそれと会社買収の決断はできないであろう。一方売り手側の立場としては、すべてを洗いざらい見せたあげくに「やはり買収は止めました」と言われては、その後の事業遂行に支障をきたすので簡単にすべてを見せるわけにはいかない。

そういう場合は通常守秘義務契約を締結し、買収目的以外に情報を使用しないこと、買収しないと決定した場合は全ての資料を返却すること、もし対象会社が上場会社であれば市場で対象会社の株式売買を行なわないこと、等を約束する。ただ、「秘密を守ります。買収目的以外には使いません」と書面で約束しても、あまり強制力がないという側面は否めない。そこで相手が真剣に買収を検討していることを確認するための書面を交わす、という方法が通常とられ

る。この書面はレター・オブ・インテント（Letter of Intent, LOI）、メモランダム・オブ・アンダースタンディング（Memorandum of Understanding, MOU）と呼ばれている。買収交渉において重要な条件項目についての双方の合意点をまとめた議事録のようなもので、それ自体は契約書と違って法的拘束力をもたない。いわば紳士協定のようなものだが、すっかり裸になるにあたり、買い手側の真剣度、双方の主張の開きがどの程度あるかを見定めることはできる。特に、買い手候補が複数いる場合にその中からさらに突っ込んだ交渉をすべき相手を絞り込むためには有効な手順である。それらの「踏絵」を踏んだ上で、買い手側は一般に開示されていない会社内部資料まで閲覧・調査することが許される。財務諸表に表れていない債務がないかどうか、法律違反行為で不測の損害が将来発生しないか、会計事務所や法律事務所を動員して膨大な量の内部情報が調査される。

2. 対象会社の将来の収支予想や中長期事業計画が評価において重要な役割を果たす。特に将来キャッシュフローが価格評価の重要なカギとなる。買収した後も管理職を含め多くの社員がその会社で働き続けるわけだから、彼ら自身が会社の予算、将来計画についてどのような絵を描いているかを調査することは大切なポイントである。企業価値は将来キャッシュフローの現在価値だと繰り返し述べてきたことからも、この情報が評価において重要なのは明らかだろう。

　将来予想の数字が大切なのは株式投資においても同じである。しかしながら将来の見通しについて経営陣が詳細を一般に開示することは、実務上も法律上もあまり奨励されていない。確実に約束できない将来について経営陣が語ると、投資家がそれを信じて株式の売買を行った場合、「会社の中身が一番わかっている経営者の言う事を信じたのに裏切られた」、「いや必ずこうなると約束したわけではない」と後々トラブルの原因となるからであろう。

会社の値段そのものが違ってくる理由

　株価が市場原理に基づいて決まるのであれば、株式の時価総額こそが市場が決めた会社の適正価格となるはずである。ところがM＆Aがこの値段で行なわれることはあまりない。M＆A価格は時価総額よりも高いことが普通だが、より低い値段で行なわれることもありうる。

　株式時価総額より低い値段がM＆Aの適正価格となりうる理由は、大きく以下の2つに求められる。

　1つは、上場株式と異なり、100％会社を買収する場合その投資の流動性がなくなるために起こるディスカウントである。株式という細分化された持ち分は、流動性という強みを持っている。市場に上場・公開されている限りはいつでも売ることができる。さらに、小口化されているために各投資家にとって必要な資金も少なくて済み、したがって会社を丸ごと買うほどの自信も資金もない投資家層でも参加できる。このような出入りの自由度の高い投資商品はその流動性ゆえに、会社価値を株式数で割った値段よりも高い値が株価としてつくとしても不思議ではない。これは「流動性のプレミアム (Liquidity Premium)」と呼ばれる。

　2つ目は、日本の株式市場では持ち合いや安定化により「凍結」状態にある株式がかなりあるという特殊事情によるものである。限られた数の浮動株がちいさなコップの中をぐるぐる回っているような状況で形成された株価に、凍結された分や実質的には投資資金を負担していない持ち合い株式を含めた発行済み株式総数を掛け算して時価総額を出しても、それが「上げ底」価格になるケースはおおいにあり得る。現にこの原稿を書いている2001年前半、日本の政・財界は持ち合い株解消売りにより株式相場が崩れることへの懸念で持ちきりである。凍結されている株式が市場に放出されて株価が下がることに国や財界が真剣に悩んでいるのは、株式時価総額が真の会社価値を表していない、と皆が認めているようなものではなかろうか。その状態のまま「個人投資家層をもっと株式投資に」と

言われても二の足をふんでしまうのは私だけではないだろう。

　日本の会社の時価総額に「上げ底」問題がないとすれば、会社を100％買う値段が株式時価総額より高くなることは常識的に受け入れられよう。それは100％買収すれば会社の支配権がとれるからであり、その支配権に見合う上乗せ金額は「支配権プレミアム（コントロール・プレミアム Control Premium）」と呼ばれる。
　株式にはもともと議決権、つまり株主総会で一票を投じる権利がついているのだが、通常の投資家株主はそのことに大した価値は付さない。ところが会社株式の過半数、あるいは2/3以上をとると、その「塊」としての株式の持つ議決権はとたんに大きな意味を帯びる。会社の経営責任を負う取締役の選任権や、会社の重要事項の決定権を手中に収めるためにプレミアムを払うのは当然、というのもなるほどとうなずかせるものがある。では支配権の値段はどのようにして決められるのであろうか。この質問はM＆Aの本質を語るための最も重要なポイントなので、次章でじっくりとその中身を解明することとする。
　このように、株式公開に代表される公開流通市場での会社価値評価とM＆Aという閉じた世界での会社価値評価の金額は、その進め方の違いにより、流動性により、そして支配権がつくことにより異なり得る。それでも両者の評価方法は相互に密接に絡み合っている。

2. 教科書の手法と実務プロの手法

伝統的な企業価値算定法

　一般的なM＆Aの教科書においては、買収価格の算定方式としていくつかの方法が説明されている。それらは、類似会社比準方式、類似取引比準方式、ディスカウント・キャッシュフロー（DCF）方式などと呼ばれている伝統的手法である。まずはこれらの算定方式の中身と、それぞれの方式の留意点を簡単にまとめておこう。

類似上場会社比準方式

前述第四章で説明した算定方法。既に上場・公開している会社の時価総額が会社価値に等しいという前提で、評価対象の会社に類似した会社を選び出し、それらのPER、EBIT、EBITDA倍率を対象会社の実績数字や見通し数字に掛けて評価額を算出する。

例としてA社という非上場会社の会社価値を、X、Y、Z、の3つの上場類似会社を使って算定する実際の手順を図解すると以下のとおりとなる。倍率はさまざま出てくるので、異常値を取り除いた上でこれらを単純に平均したものを通常使う。この事例の場合、A社の企業総価値は1,620億円、実際に株式を買収する対価としての会社株式価値は1,180億円と算定される。[表5-1]

表5-1 類似上場会社比準方式の評価手順

A社財務指標が右のとおりだとする

EBITDA	170億円
EBIT（営業利益）	70億円
税引後当期利益	30億円
ネット・デット	400億円

類似上場会社の現在の諸倍率を時価総額をもとに算定

（単位：倍）

	X社	Y社	Z社	3社平均
EBITDA倍率	9.2	9.8	11.0	10.0
EBIT倍率	18.0	22.0	26.0	22.0
PER	25.0	35.0	50.0	36.7

それぞれを掛け合わせてA社企業総価値および会社価値を算定

	財務指標		比準倍率		企業総価値		ネット・デット		会社価値
EBITDA比準	170	×	10.0	=	1,700	−	400	=	1,300億円
EBIT比準	70	×	22.0	=	1,540	−	400	=	1,140億円
PER比準	30	×	36.7					=	1,100億円
			平均値		1,620				1,180億円

類似上場会社比準方式の考え方の前提および問題点として以下の3点があげられる。

1. 流動性ある株式ならではの株価から導かれる株式時価総額が一括売買のM＆Aでも同じだという前提に立っているので、株価に含まれる流動性プレミアムの分評価額が高めとなる。
2. 類似会社としてとりあげた会社の浮動株が少ない、取引高が少ないケースでは、市場で形成されている株価が、高めにゆがんでいる可能性がある。とすると、算出された倍率も高めになり、A社の評価額も高く算出される。
3. 会社の経営に参画しない投資家が市場で形成する価格なので、当然のことながらM＆Aの中心課題である支配権の値段（コントロール・プレミアム）は反映されていない。この方法によって価格を交渉する場合は別途コントロール・プレミアムとしていくら上乗せすべきかを検討しなければならない。

類似取引比準方式

過去に行われたM＆Aの事例において、類似の被買収会社に対していくらの価格が支払われたかをもとに、類似会社比準方式と同様の各種倍率を計算し、それらの倍率を当該対象会社の数字に掛け合わせて評価額を算出する方式。家や土地を売り買いする場合に、最近近隣の似たような物件がいくらで取引されたかを参照するのと同じ考え方だといえる。

先のA社の例を使い、最近の類似買収事例としてT社買収のケースを比較対象として選んだ場合、価格算定の手順は［表5-2］のとおりで、算定された会社価値は1,780億円となる。類似会社比準方式で算定された価格より51％高くなるが、これが次の章で詳細に検討するコントロール・プレミアムに相当する、と通常言われている。

類似取引比準方式については以下の2点がポイントとなる。

表 5-2 類似取引比準方式の評価手順

買収される直前期の
T社財務指標

EBITDA	100億円
EBIT（営業利益）	40億円
税引後当期利益	15億円
ネット・デット	200億円

T社の買収価格　　　　　　　　　1,000億円

逆算によるT社買収倍率

　　EBITDA比準　（1,000＋200）÷　100　＝　12.0倍
　　EBIT比準　　（1,000＋200）÷　40　＝　30.0倍
　　PER比準　　　1,000　÷　15　　66.7倍

逆算によって求めた倍率をA社に適用

	財務指標	比準倍率	企業総価値	ネット・デット	会社価値
EBITDA比準	170 ×	12.0 ＝	2,040 −	400 ＝	1,640億円
EBIT比準	70 ×	30.0 ＝	2,100 −	400 ＝	1,700億円
PER比準	30 ×	66.7		＝	2,000億円
	平均値		2,070		1,780億円

類似上場会社比準方式による算定価格
（1,180億円）に対するプレミアム　＝　51％

1. 実際のM&A市場における取引を参照しているので、コントロール・プレミアムを含んだ価格と想定できる点が魅力的な方式である。
2. ただし実際のM&A取引はそれぞれ主観的な個別事情がからむので、類似取引としてかなり多くの事例を検討しなければ客観的指標として機械的に参照することには危険が伴う。取引の内容について開示され入手できる情報も限られており、取引の発生した時期の市場背景も勘案しなければ、現在の取引にそのままあてはめることはできない。

ディスカウント・キャッシュフロー（DCF）方式

　将来キャッシュフローの現在価値を算出する、という原理原則通りの評価方式。これまでは簡便法として、一定の成長率のまま永久に事業が継続するものとしてPV=C/(r − g)を使ってきたが、実際に将来5～10年の収支予想、キャッシュフロー予想を行ない、それを買収対象会社の事業リスクを勘案したディスカウントレートで現在価値に引き直す方式。巻末の関連用語集で、簡単な設例をもとにＤＣＦ方式の仕組みを図解解説したので、算出方式の一般公式に関心のある読者はそちらをご参照いただきたい。

　ＤＣＦ方式は会社価値評価方式の基本であり、次に述べる実務家の評価方法もこの枠組みをつかっている。具体的な算定の仕方については第七章「M&A現場の実況中継」で詳しく説明する。

　この評価手法はビジネス・スクールでＭＢＡ達がマスターする方式だが、実際に使って価格算定してみると、ピンポイントに会社価値を算定して、「これが正しい値段です」と自信を持って言い切るのには勇気がいることがわかる。それは、

1. 収支予想をどう作成するか、
2. どれほど長い期間の予想をするか、
3. その収支予想期間以降の事業価値（ターミナル・バリュー、Terminal Value）をどう置くか、
4. ディスカウントレートをどう想定するか、

によって現在価値が大きくブレるからであり、それぞれの点について「こうでなければならない」という正解はないからである。価格算定をする人の主観的判断が入りこむ余地がかなり多い算定方式だと言わざるを得ない。

合わせ技の算定モデル

　むしろ私は、前述のそれぞれの算定方式を別々の手法ととらえず、

DCF方式の中に組み合わせて取り込むことにより、全体として説得力のある算定手法になると考えている。

　これから述べる買収価値算定方式は、本場のフィナンシャルアドバイザーが実際に行なっているやり方にかなり近い。考え方は以下の4段階ステップから成る。百聞は一見にしかず、第七章では具体的な会社を想定して、実務家達がどのように会社価値すなわち買収価格を算定するのかを、数字を使って臨場感ある形で検討している。数字で具体的に理解することが得意な読者はそちらを参照しながら本節の内容を確認していただいた方が頭にはいりやすいかもしれない。

ステップ1　向こう5年間の事業計画が基本

　まずは5年間程度の収支予想、資金繰り予想を対象会社の経営陣から提出してもらう。5年という数字に特段の意味はない。状況に応じて3年でも10年でも構わない。ただ、M&Aの場合、当初2年ほどは新体制の整備期間であり、3年目から買収効果が数字に表れはじめ、5年目ぐらいで安定軌道に乗る、というのがイメージしやすい計画なので私は5年を好んでいる。

　ベースとなる収支予想やキャッシュフロー予想として現在の経営陣が作成したものを使うことについては、売り手側はできるだけ高い値段で売りたいのだから、将来バラ色の収支予想を出してくると考えるのが自然かもしれない。ただ実際には、売却対象となっている会社や事業部門の経営陣は買収交渉の過程では微妙な立場にたたされている。買収されたあとも引き続き経営を任される可能性もあるので、いい加減な予想をすると自分の識見・能力を疑われてしまう一面もある。買い手側としては前提の甘いところ、厚化粧している部分は厳しく質問して確認した上で、収支計画を無理のないものに修正する必要がある。このようにして将来キャッシュフローについて、売り手と買い手が現経営陣を中心に共通の土俵を持つことができれば、DCF方式での現在価値は合意点を見出しやすい。

ステップ２　最終年度における企業価値は類似会社から

　収支予想はしょせん予想であり、特に変化のはげしい今日の事業環境下、あまり長期間の予想を作成しても意味が無い。そこで５年程度で切るのだが、そうなるとその後の事業価値（ターミナル・バリュー、Terminal Value）の算定が必要となる。この算定に類似会社比準方式（ＥＢＩＴＤＡ倍率ないしＥＢＩＴ倍率）を用いる。収支予想期間が５年なら５年後に株式公開または会社売却をして投資を回収すると想定するのである。類似会社としては５年後のその会社に類似したものを使う。

　永久にキャッシュフローが伸びつづけるという前提をおいて、その時点以降のキャッシュフローの現在価値を第二章で説明した永久還元の定義式で算出するという方法もあるが、永久に成長する前提としての成長率ｇをどう置くべきかで大きく価値が振れるし、売り手側と買い手側で水掛け論になる可能性が高い。それよりは株式市場が客観的認識として持っている価格水準を使用した方が、説得力がある。

ステップ３　類似取引事例で評価額を検証

　ステップ１と２のキャッシュフローおよびターミナルバリューの現在価値の合計額が企業総価値となる。この評価額をもとに足元の実績・予想数字を使ってＥＢＩＴ倍率やＥＢＩＴＤＡ倍率を逆算してみる。例えば企業総価値が100億円と算出され、前年度のＥＢＩＴＤＡが７億円であれば、この評価額はＥＢＩＴＤＡ倍率14.3倍（100÷7）となる。類似会社のＥＢＩＴＤＡ倍率が10倍だとすると、これは43％のプレミアムがついた評価金額だということになる。最近の似たようなＭ＆Ａ取引においてプレミアムの平均が30％だとすると、この取引にはなぜそれより高いプレミアムが必要なのかを検討しなければならない。収支予想の前提に問題があるか、類似会社の選び方に問題があるかのどちらかである可能性がある。もちろん、類似取引とは事例が異なるので本件においては43％のプレミアムは正当だ、というケースもあろう。

ステップ４　企業価値を会社価値に修正

　こうして算定した企業価値は先に言うところの「裸」の企業価値（企業総価値）なので、実際に株の対価として支払う金額は「ネット・デット」分を調整する。企業総価値からネット・デット金額を差し引くと当該買収対象会社の「値段」すなわち会社価値が算出されることは第三章で説明したとおりである。余剰のキャッシュがバランスシートにのっている会社の値段はその分価格が上がり、逆に借入金をそのまま引き継ぐのであれば、その分買収金額から差し引く必要がある。実際のM&Aにおいてはこのステップにひとひねりが加わる。以下に詳しく説明しよう。

3. 会社の隠れた秘密を見つけ出す

　株価評価等においては、入手・分析可能な資料に限りがあることから通常、現金同等物と外部借入金をネットしたものをネット・デットとする。しかしＭ＆Ａとなると、より詳細に対象会社のバランスシートや事業内容を分析・評価する必要があり、かつそれが可能である。その結果発見される諸々の問題点は、買収価格の調整要因として、前述のステップ４に織り込まれ、価格交渉・契約交渉の対象となる。

デュー・ディリジェンスという手順

　企業買収においては通常、外部専門家として弁護士および会計士・税理士が検討チームに加わる。彼らの役割については第八章２でも触れるが、その１つがデュー・ディリジェンス（Due Diligence、買収監査）と呼ばれる作業である。

　会計士・税理士は価格評価の前提となる財務諸表の中身を詳細に検討し、バランスシートや損益計算書に適切に反映されていない資産や負債、費用等を発見する。それらは例えば、

＊　売掛金として計上されている資産、在庫として計上されている資

産の中に実際には回収不能、販売不能なものが含まれていないか。それらが売上を水増しし、製造原価を小さく見せることにつながっていないか
* 有形資産、無形資産の時価と簿価の間にはどのような差があるのか
* 「繰り延べ資産」という形で本来費用とすべき損失が先送りされていないか
* 貸倒れ引当金や退職給与引当金は適正に積み立てられているか
* 税務申告が適正に行なわれていて、巨額の追徴課税を受けるような事態にならないか
* バランスシートに載っていない負債（リース債務や退職給付債務）はどのようになっているか

といった項目である。
　弁護士も同様に、会社が適法に運営されているか、契約その他から大きな履行義務や損害賠償責任追及のリスクが発生しないか、を調査する。これらは例えば次のような項目である。

* 会社の意思決定は適法に行なわれているか。株主総会や取締役会の決議・承認を得ずに事業活動を行ない、後になって無効になったりすることはないか
* 事業運営に不可欠な契約関係が不明確であったりいつ一方的に切られるかわからない状況にないか
* 大量に販売した製品に欠陥があり製造物責任を追求されたり、産業廃棄物を垂れ流して国や地域住民から損害賠償責任を追及される危険はないか
* 従業員の職場環境整備について基準を守らず、その結果従業員が健康を害し、その補償が必要になるといった事態は起らないか

見落としがちな価値

　これらの専門家によるデュー・ディリジェンスに加え、買収価格

算定の為にこの段階で買い手自身、あるいは投資銀行等のフィナンシャル・アドバイザーがもう1つ大切な作業を行なう必要がある。それは
「将来キャッシュフロー創出に直接関係の無い資産・負債のふるいわけ」
とでも呼ぶべき作業である。

　会社の保有する資産には現金同等物以外にも、事業キャッシュフローの創出に直接貢献しない資産がある。余資運用ないしは取引先関係のしがらみとして投資されている株式はその典型だし、保有不動産の中にも事業継続上不可欠とはいえない資産が含まれていることがある。社員の為の保養施設、会員権などがその例である。さらに自動車メーカーやコンピューター機器メーカーのバランスシートには、リース債権のような形で金融事業資産があったりする。この事業からでてくる収支が「金融収支」として営業利益の下に計上されるとしたら、ネット・デットの計算上も「現金同等物」として扱わねばならなくなる。

　これらの資産・負債は適正な時価を算出した上で買収金額の調整項目として交渉の対象となることが多い。つまり、ネット・デットの調整と同じ作業を交渉を通じて行なうのである。価格にどのように反映させるべきかは税務上の効果等も考慮にいれた緻密な作業が必要なので会計事務所等の専門家の力が必要となる。しかし事業のキャッシュフロー創出に関係ある資産とそうでない資産をふるい分けて、対象会社の贅肉を落とすとどのような姿になるかは買収当事者がしっかり見極めねばならない。

　教科書どおりに将来キャッシュフローの現在価値をもって会社の企業価値を算定すると、これらの資産価値や隠れた負債を考慮し忘れてしまいがちである。ＥＢＩＴＤＡ倍率等で企業総価値を算出した場合、借入金マイナス現金同等物をネット・デットとして差し引くが、この「現金同等物」を杓子定規にとらえると、上記のような事業活動を行なう上で必ずしも不可欠ではない資産の価値が反映されないことになってしまう。私自身、まだ駆け出しの頃にＭＢＡ教

科書に忠実にＤＣＦ方式で算出した価格を基に交渉を行ない、売り手側から評価から抜け落ちている資産の存在を指摘されてしどろもどろになった苦い経験がある。

第五章　会社の値決めの実際2──会社を買収する場合

column

裸になれない日本企業

　日本の会社がなかなか売却対象にならない、という話をよく聞く。その理由として、一般には共同体である会社を売ったり買ったりするのは人身売買のようで日本の風土になじまないから、などと言われているが、私はこの理由の1つがデュー・ディリジェンスのプロセスにあるのでは、という疑いを常々抱いている。外部の専門家達が大挙してやってきて、会社の書類をひっくり返してあら探しをする姿を想像すれば、どの経営者もいい気はしないだろう。

　もちろん、「開示できる資料はこれだけ」と売り手が言えばそれ以上に捜索されることはない。しかしこの場合、通常買収契約書の中で、「開示資料に嘘偽りはありません。隠している重要事実もありません」と約束させられる。会社買収後にその問題が発覚すると契約違反、損害賠償問題になるので、シラを切りとおすことはかえって危険である。

　実際に会社の中身を赤裸々に開示した場合、結構多くの「一流」会社が、先代から引き継いだまま封印してある問題を抱えていたり、会社にとって不都合な出来事を公表しそこなったりしているものである。経営陣はそれを知っていればなおさら、M&A交渉のテーブルに着く勇気が湧きにくくなる。

　ある自動車メーカーの過去のリコール隠蔽が発覚する、という事件が昨年起こった。その数ヶ月前にはその自動車メーカーは外資からの資本を受け入れる基本合意に至った、と大々的に新聞に報道されていた。これはたまたまの偶然かもしれないが、外資メーカーが最終契約に至る交渉の過程でデュー・ディリジェンスを行なっていたことは明らかであり、そのプロセスのおかげで封印していたはずの問題を公表せざるを得なくなったのではなかろうか、などと想像したくなる。その問題発表後、会社の価格は急落した。結果的に外資メーカーは当初の想定価格より安い値段で資本参加

ができたことになる。このリコール隠蔽問題が、契約調印が終わり、資本参加の株式代金支払いの後に発覚したとしたらどうなるか。外資メーカーは自分が株式を取得した直後にその株価の暴落を経験することになったはずである。そのような事態を未然に防ぐことがデュー・ディリジェンスを行なうそもそもの目的だとすれば、この結果は仕方がない。

　日本の会社が売却をいやがる、恥とする風土にはいろいろな背景があるのだろうが、実はこういう下世話なレベルの理由で裸になれない日本企業が結構あるように思えてならない。だとすると会社売却を検討できる日本企業は、隠そうにも隠しようがなくなった問題会社と、裸になることをいとわない清廉潔白な経営を行なっている会社の両極端に分かれることになる。

4. 株主を納得させる買収価格

希薄化 – 株主利益が薄まるとは

　買収価格の妥当性を最終的に決めるのは誰であろうか。それは、経営陣でも、取締役会でも、アドバイザーでもない。会社の所有者である株主である。というのは、会社の合併・買収のような重要な案件は株主総会で承認を得る必要があるケースが多いからであり、取締役会の役員達は株主利益という立場から合併・買収の是非を判断する立場にあるからである。従って買い手側の経営陣は、買収価格が妥当であり自社にとって正しい経営判断である、ということを役員および株主に納得してもらうことが重要な課題となる。買収することを発表したとたんに買い手会社の株価が下がるような事態が起これば、損害を蒙った株主から責任追及されることを経営陣として覚悟せねばならない。

　投資家株主は、たとえプロの機関投資家であっても買収対象会社の財務内容、コントロール・プレミアムを正当化する根拠の中身などにつき詳細な分析は通常行なわない。が、それでも彼らは買収発表がなされると買収を仕掛けた会社の株式を「売り」「買い」と判断する。このような株主、投資家に対してシンプルに買収金額の妥当性を説明する手法が必要になってくる。

　その検証指標の代表的なものが「Dilution effect ＝ 希薄化効果」といわれるもので、これは、その買収を行なうことによって買い手会社の一株当たり利益が低下する(希薄化する)かどうかをチェックする方法である。

　会社を買収すると、買い手側会社の損益計算書にはどのような変化が現われるだろうか。まず、買収資金を調達しなければならないのでその資金調達コストが費用として計上される。さらに、営業権の償却という会計上の費用が発生する。営業権償却の仕組みはやや複雑だが、以下のようになっている。

買収対象会社の純資産金額を超えた買収金額を支払った場合、その差額分は「のれん」「営業権」といわれる無形資産として買い手会社の資産側に計上される（対象会社株式を買収した場合は、その会社を連結する際にこの差額が表れてくる）。この無形資産は設備投資同様、一定期間で償却することとされている。償却期間は米国では最長40年まで認められているが、通常5年から10年程度で償却される。日本では税法上5年間で均等償却である。例えば50億円の簿価純資産の会社を100億円で買収すると、50億円の営業権が発生し、これを5年間で償却すると、毎年10億円の損失が会計上発生する。

　買収する側の会社に新たに加わる資金調達コストと営業権償却という2つの財務費用の増加分と買収した会社があげる利益のどちらが多いかを比較する、これが希薄化分析のエッセンスである。

　シンプルな事例で具体的に検討してみよう。
　Aという会社が無借金で経常利益10億円の会社Tを買収すると想定する。T社の純資産を50億円とし、A社は買収資金を全額5％の資金コストで調達することができ、営業権は5年で償却すると想定する。買収金額が上がるにつれ、買収資金の支払金利と営業権償却の金額が上昇していくことになり、経常利益との差額が変化してゆく様は［表5-3］のようにシミュレーションできる。
　このケースでは、買収金額が80億円を超えると、買収することによって会社の損益は悪化する（＝希薄化効果がでる）、という結果になる。
　経常利益の10倍ということで100億円を妥当な買収価格と算定した場合、この買収が希薄化効果を生まない為には、買収により合体した新会社が全体としてさらに5億円の追加利益を産み出すか、5億円分の経費合理化が見こまれることを株主に説得するのが買収提案を行なう経営陣の責任となる。

表5-3 希薄化分析シミュレーション

前提:
資金調達コスト	5%	A
営業権償却	5年	B
買収対象会社純資産	50億円	C

(単位:億円)

想定買収金額 (D)		70	80	100
資金調達コスト	D×A	3.5	4	5
営業権償却額	(D−C)/B	4	6	10
費用合計		7.5	10	15
対象会社経常利益		10	10	10
差額		2.5	0	−5

買収価格が80億円をこえると買収コストが対象会社の利益を上回ってしまう
⇒株主利益が「希薄化」する

合併および株式交換による買収の際の評価手法

　希薄化効果という言葉は、買収資金を借入れに頼らず新株を発行して調達する場合に、よりぴったりあてはまる。吸収合併の場合、吸収される側の会社の株主は自分の保有する株式と交換で吸収する側の株式を受け取るが、このようなケースが典型である。最近になって買収の対価を現金ではなく自社の株式で支払う「株式交換による買収」が日本でも認められるようになったが、これも同じである。これらの場合、資金調達に伴う金利支払いコストは発生せず、代わりに発行済み株式総数が増加する。よって同じ金額の利益を分配する際の割り算の分母が大きくなり、まさに一株当たり利益が薄まる(希薄化する)のである。

　吸収合併や株式交換による買収は、現金の出入りを伴わず、自社

の株式をあたかも貨幣のように使って買収するやり方なので、小が大を飲み込むような買収も可能となる。

こういった買収あるいは合併提案の妥当性を評価するには希薄化分析が有効だ。

前述の例で、買い手会社Aは株式を上場しており、その株価が2,000円、発行済株式総数10百万株で、時価総額が

2,000円 × 10百万株 = 200億円

だったとする。T社を株式交換で買収するとした場合、T社の想定買収金額を100億円とすると、

100億円 ÷ 2,000円 = 5百万株

を、T社株式と交換して新たにT社株主に交付すればよいことになる。

この取引はA社株主にとりどのような影響のある取引だろうか。

合併や株式交換による買収の会計処理をどうするのか、つまり営業権を発生させるかどうか、という問題には立ち入らない。単純に現状のバランスシートのまま合体するだけで営業権は発生しないものとする。

分析するにあたり、いま仮にA社とT社の税引後利益をそれぞれ5億円と1億円と仮定しよう。

［表5-4］からわかるとおり、買収後のA社一株当たり利益は50円から40円に減少する（希薄化する）。A社のPERが現状のままの40倍であれば株価は400円減少して1600円となってしまう。5百万株のA社株式をT社株主に与える限り、買収後の2社の合計利益も発行済み株式総数の増加分と同じく1.5倍すなわち7.5億円にならなければ一株当たり利益を現状維持できない。A社株主としては、合併効果によって当期利益が両社の現状の利益を単純に合算した 5 + 1 = 6 億円ではなく 7.5 億円になること、

表5-4 吸収合併・株式交換の際の希薄化分析

合併前

	A社	T社
株価	2,000円	500円
発行済み株式数	1,000万株	1,000万株
会社価値	200億円	100億円
税引後利益	5億円	1億円
合併前1株当たり利益	50円	10円
PER	40倍	50倍

合併条件　T社全株式に対してA社株式500万株を発行
　　　　　（株式交換比率＝1：2）

合併後のA社一株当り利益の変化

発行済み株式数	1,500万株
税引後利益	6億円
買収後1株当たり利益	40円

> 発行済株式総数は1.5倍に増えるが・・・
> 合併会社の利益は1億円しか増えないので
> 1株当たり利益が50円から減少してしまう

想定株価

PER	40倍	1,600円
	50倍	2,000円

あるいは将来成長性の期待が高まりPERが40倍から50倍に上がることを経営陣がきちんと説明してくれない限り、2,000円という現在の株価が下がってしまう可能性が高いので、臨時株主総会でこの買収取引に賛成票を投じるわけにはいかない。これが希薄化効果の簡単な検討手法である。

株式交換は打出の小槌の買収手法か

一般に、PERの高い会社がPERの低い会社を吸収合併すると、会社価値にとってプラスになりやすい。先の事例では買収会社A社のPERが40倍で、被買収会社T社の50倍より低かったので希薄化が問題になったが、逆であればむしろA社株主にとって魅

力的な買収になる。買収される会社の利益に対して市場が40倍ではなく50倍という買収側会社の高い倍率のPERを適用する可能性が高いからである。これはやや安易な考え方に基づく「打出の小槌」として買収好きな会社が利用する手法である。

　本来であればPERの低い会社が加わったのだから買収会社のPERは下方修整されるのだが、シナジー効果（後述コラム参照）がある、将来戦略上正しい、等々の理由でPERが下がらないという現象がしばしば起こる。とするならば、PERの高い会社はPERの低い会社をどんどん吸収合併することにより永遠に会社価値を増大させつづけることができる。

　90年代に株式交換型の大型買収が進んだ一つの背景は、米国の株式市場が好調で、成長している会社のPERが高めになったからだといわれている。いうなればPERが高い間に、その「割高に評価された紙幣（株式）」を使って株式同士を物々交換したのである。外国為替の世界で、円高になると海外旅行の買い物中つい財布の紐がゆるむのと同じような感覚といえばわかりやすいかもしれない。だからといってどんどん円紙幣を日銀が発行するとインフレになって円紙幣の価値が下がり始めるのと同じように、PERが高いからといって株式をどんどん発行する（交換する）と株価は下がりはじめる。既存の株主は自分の持ち分(一株当り利益)が株式の追加発行により薄まっていくことのないよう、安易な吸収合併や株式交換を監視しなければならないのである。

第六章 M＆Aによる価値創造のしかけ

1.高い価格がなぜ正当化されるか

　M＆Aにおける企業価値算定の具体的手法と検証方法は以上のとおりである。その中で何度も先送りにしてきた最大の課題についてこれからじっくりと取り組みたい。それは、
「会社を100％買う値段は株式時価総額より通常高くなる。」
「M＆Aとは会社の支配権の売買である。」
「会社の支配権を取るために買い手は『コントロール・プレミアム』を上乗せして支払う必要がある。」
といった形でこれまで触れてきた問題である。
　一般的に会社株式の過半数、2/3の議決権を持てば会社の経営責任を負う取締役の選任権や会社の重要事項の決定権を支配できるのだからプレミアムを払うのは当然だと言われており、それ以上の解説は通常なされない。
　当然というならば、「ではいくら上乗せするのが当然なのか」にも答えられなければ意味がない。そしてその金額の算定のしかたが明確で納得のいくものでなければ、「当然」には何の中身も無いに等しい。この章ではこの難題に筋の通った答えを出してみようと思

う。

　モノの値段は売り手と買い手の主観の差があってこそ形成されるものだという、「捨てる神あれば拾う神あり」の原則に、その解答のヒントがある。全く同じ会社について、「この値段は高い」と思う売り手と「この値段は安い」と思う買い手がいてこそM＆A取引は成立する。その主観の差を現在価値という数字に置きかえる、これが、コントロール・プレミアム金額の源泉である。

会社を買収する理由

「プレミアム金額を上乗せしてでも他社を自分の支配下に置きたい」、という主観的思い込み、「そこまで言うなら売却した方が自社の株主も喜ぶだろう」という売り手側の割りきり、ここにM＆Aが成立する理由がある。そこで、しばらく会社を買収する側に立って、「なぜわざわざ手間とコストをかけてまで他の会社を買収したいと思うのか」
をじっくりと分析してみよう。代表的な理由として以下の４つが挙げられる。

　　① 　単なる権力欲・支配欲
　　② 　競合を呑み込む－水平統合
　　③ 　取引先を抱え込む－垂直統合
　　④ 　時間を買う－新規事業展開

　これらが本当に買収を正当化する理由になるかを検証した上で、それらの理由が支配権の価値をいくらと算定すべきかの答えにどうつながるのかを検討してゆく。

① 　単なる権力欲・支配欲
　　人間に所有欲、独占欲があることは否定のしようがない。会社、それも世間的に名前の通っているような会社、を買収してオーナーになるのは気分がいいものである。骨董品のオークションに参加し

て著名な絵画を買うような感覚で会社を買収する、という動機はきわめて人間的で、実際そういうタイプの買収事例は多い。バブル期に一時はやった、ホテル、ゴルフ場、ワイナリーやプロスポーツクラブのオーナーになるような買収が代表的である。

　この場合、買い手にとっては所有欲を満たすことが目的なので、買収後のキャッシュフローはトントンで構わないということが往々にして起こる。つまり投資に対するリターンの期待（期待収益率）が低くなるわけだから、企業価値の基本公式に従って高い値段が正当化され得る。これまで説明してきた企業価値算定のオーソドックスな手法にのっとってM＆Aをやってきた米国投資銀行家達が
「椅子からずっこける（fell off the chair）」
と表現するような法外な価格提示を一発で行なったりして、売り手側に大喜びされることになる。

　こういう買収をできるのがオーナー経営型の会社であることは言うまでも無い。上場・公開され、他の一般投資家株主の存在するような会社では、彼らの期待収益率を満たす経営を行なうことが経営者の務めである。つまり、「所有していることが快感なので別に儲からなくても構わない」という理由で買収の取締役会決議を通すことは難しい。投資収益を期待する資本の入っていないケースにのみ、オーナーの道楽、ぜいたくとして買収が可能になるといえよう。このような買収では、コントロール・プレミアムを正当化する理由は必要ない。自分の金を自分の好きなように使うことには誰も文句はない。こういう買い手が現われたおかげで、将来キャッシュフローの現在価値を超える価格で事業や会社を売却できて大もうけをする幸運な株主も生まれる。

② 競合を呑み込む－水平統合
「いつも契約獲得でぶつかり合い、価格のたたき合いになる競合が目の前から消えればどんなにいいか」
　営業の前線で日々戦っているビジネスマンは、常々こう思っているだろう。同業の競合先を買収あるいは吸収合併して市場シェアを

あげ、その棲み分けや価格政策を支配できれば随分楽になるのに、と経営者なら誰しも考えている。

さらに、グローバルな競争時代を迎え、競争力を維持するために必要な投資をするには、似たような設備を2つ作るよりお互いの力を合わせて1つの強力な設備を作った方がよいケースもある。半導体製造設備や化学業界の統合再編がこれにあてはまる。製薬会社の国際間M＆Aも、研究開発費用を集中させて一気に世界中で販売するという、市場のグローバル化に呼応する動きといえよう。銀行の統合・合併においては年間何百億円にものぼるシステム投資の一本化がメリットとして取り上げられている。

これらは「水平統合」と呼ばれる動機である。このようなM＆Aにはどのような社会・経済的意義があり、それゆえにどのようなプレミアムの支払いが正当化され得るだろうか。

ただ単に競合をなくして収益を安定させたい、という動機のM＆Aはそれ自体からはなんの社会的価値も産み出さない。これまで競争によって消費者やユーザー側が享受していた「よい品を安く」の利益がなくなり、会社側の利益がその分増えるだけのことである。コントロール・プレミアムを価格支配権の対価として支払ったとすると、買い手としては買収後に製品価格の引き上げという形で、ユーザーのポケットからその分を回収せねばならない。このような、価格支配力を目的とするM＆Aは独占禁止法の規制を受け、公正取引委員会から待ったがかかる可能性が高い。社会全体にプラスをもたらさないのであればストップをかけられても当然である。

統合により製造設備やシステムの二重投資・過剰投資を回避しようという動機の場合はどうだろうか。プレミアムの源泉はそれによって浮いてくる投資資金や、その設備が立ちあがって利益を産み出し始めるまでにかかるコストである。前述のような価格支配力が無ければ（市場にはまだ多くの競合が存在し続けるとしたら）、その浮いた資金・資源は製品価格を下げることや他の必要な投資に回すことに使われ、社会にプラスをもたらす可能性が高い。

③ 取引先を抱え込む－垂直統合

　自社製品の大切な部品を製造・納品してくれる会社、あるいはその製品を販売してくれる会社がM＆Aの対象になることがある。

　自分の事業の成否に関係が深く、その会社との取引関係が切れると自分のビジネスにも致命的な影響を及ぼすような会社はしっかりと自分の支配下においておきたいものである。逆に、自分の会社なしにはやっていけないはずの取引先会社が自分達より高収益をあげていたりするならば、その会社を吸収して自社の利益率を高めたいと考えるようなケースもあるかもしれない。このように自分の事業の川上・川下分野に進出するM＆Aを垂直統合型のM＆Aと呼ぶが、この動機がコントロール・プレミアムを正当化する理由は何だろうか。

　単に自社との取引から多くの利潤をあげる会社があるからそこを買収して利益を吸い上げよう、というだけであれば水平統合を通じての価格支配と同様、前向きな意図のあるM＆Aとはいいがたい。原材料調達から製品販売にいたるプロセスの中で利益の落ちる場所が移動するだけで全体としてのプラスは産み出さない。買収する為に支払うべき値段はその会社の将来の利益・キャッシュフローを前払いする価格となるはずで、それ以上のプレミアムを支払う根拠は直接には出てこない。

　ライバル会社への商品納入やライバル会社製品の販売を止めさせて自社のみのために忠誠を尽くさせる、ということが動機の本音であれば、それは競争制限行為であり独占禁止法上問題になる。その場合、競合との取引を止めさせるということになれば買収対象会社の売上や利益も落ちてしまう。その逸失分を補うだけの事業拡大の機会を買収する側の会社が提供できないかぎり、これまたプレミアムを支払う根拠はでてこない。

　川上や川下の事業へ拡大展開するM＆Aの意義は、原材料調達から最終消費者・ユーザーによる購入までの開発・製造・販売のプロセスを統合して効率化することに求められる。

　資本関係がなく自分のライバルとも取引をしているような会社に

は、自社の開発中の製品情報を丸裸にして開示することにためらいが出るが、100％買収することによりそれが安心してできるようになる。それによって商品開発やマーケティングの効果・効率があがることが期待できる。在庫リスクのコントロールもより効率的に行なえるだろう。別の会社が各々の利益を考えて価格交渉や駆け引きに費やしていた時間とエネルギーをなくすことも大きなメリットとなる。これらが垂直統合型M＆Aが経済行為として社会的意義を持ち得る大きな理由であり、それらの効率化によってもたらされる将来の利益がプレミアムの源泉となるのである。

④　時間を買う－新規事業展開

　会社の使命は常に成長しつづけることによって株主の期待収益率を満たし、会社価値を増加させることである。その為には同じ事を毎年繰り返しているだけでは足りない。市場や社会の新しい動きを絶えず読んで、新たな収益機会を追求できるような事業を立ち上げてゆくことが期待される。

　技術革新のスピードが増し国境の垣根が低くなると、かかる新規事業に出遅れることが致命傷になり、あっという間にかつての名門大企業が新興成り上がり企業に取って代わられる。経営者としては息をつく間も許されない、厳しい時代である。

　最近になってM＆Aが企業成長戦略の有効な一手段である、との認識が広まってきたのは、自社内で新規事業を創造し続けることの難しさに対する解決策をM＆Aが提供できるのではないか、という経営者の期待と希望が背景にある。

　新規事業を一から自力で立ち上げるよりも、すでにある程度立ち上がった会社を買収した方がいい、という判断がこのケースのM＆Aにおけるコントロール・プレミアムの根拠となる。その判断に際してよく使われる言葉が、
「M＆Aで時間を買う」
という動機である。お金には時間価値がある、企業価値は将来キャッシュフローの現在価値である、という発想を繰り返し聞かされて

きた本書の読者にとっては、時間を買う、すなわち将来でき上がる事業と現在でき上がっている事業とには価値の差があるという説明もすんなり受け入れられるであろう。

自力立ち上げか買収か

とはいっても、全ての場合において事業を一から立ち上げるより既存の会社を買収することが正しいか、というとそうはならない。買収に必要な金額がコントロール・プレミアムを含めてあまりに高くなるようであれば、会社は自力立ち上げを目指すか、その新規事業分野への進出を断念するかの選択を迫られる。この判断はどのようにしてなされるのだろう。以下のような要素が考えられる。

参入障壁：これは新規参入に必要な経営資源（人材、技術、販売チャンネル等）を手にいれるのがどれほど困難か、その為にでき上がった会社を丸ごと買収する必要があるのか、という検討である。より醒めた言い方をすれば、
「優秀な技術者や人材を集めるのが買収の目的ならその人材に直接多額の報酬を払って引き抜けばよい。そうやって経営資源を手に入れた方が、その人材の属する会社の株主にプレミアムを支払うより効率的ではないか」
という問題である。現に外資系の投資銀行や、優秀なエンジニアが命であるソフト開発会社などはこういう手法で日本市場に足場を築いている。

新規参入を他社の買収によって目指す場合の適正なコントロール・プレミアム金額は、遅れて参入する者にとって市場シェアを奪い取ることがどれほど困難なのかによって変わってくる。人材だけではなくブランドや安定した販売網といった、一朝一夕に築けない「のれん」価値のある会社の買収はプレミアムの支払いを正当化させる有力な根拠となる。

市場拡大の限界：逆に、参入障壁が低く、遅れて入っても巻き返

しが比較的容易であれば、プレミアムを支払ってまでも既存の会社を買収する根拠は乏しくなる。それでも、自力での新規参入は危険を伴う。それはどのような場合だろうか。

　当該市場の大きさが限られていて、新規参入が供給過剰を引き起こしてしまうような場合である。価格のたたき合いになって利益率が低下し、結局誰も投資資金を回収できない「利益なき繁忙」に陥るケースがこれにあたる。価格が低下することは消費者にとって歓迎すべきことだが、企業の側としては投資資金回収ができなくなることがわかっていながら新規参入するわけにはゆかない。このような場合は、自力で参入するより既存の事業を買収することがその会社にとっても、社会全体にとっても健全な判断となる。

　先に事業を立ち上げた先行会社の側から見ても、過当競争は事業の将来に暗雲を投げかける。資本力ある大企業が後から参入してきて厳しい競争にさらされるぐらいなら、その大企業に会社を売却して資金回収し、また新たに別の事業を立ち上げたいという気持ちになるとしても、それは正しい経営判断かもしれない。

　経営資源の共有化：会社が新規事業に進出する場合、通常は既存の事業で培われた技術・ノウハウ・販売網等を利用できる周辺分野に進出する。ところが、近年のＩＴ・インターネット事業のような革新的事業モデルは、既存事業の延長上にないユニークさに魅力がある。このような経営資源を自社に取り込み、それによって新たな発想、新たな経営手法を迅速に導入するという効果が期待できる。買収する側の会社が提供できる経営資源と買収される側が提供できる経営資源がうまく噛み合うことにより、両方の会社に眠っていた潜在能力が顕在化するとすれば、その為にプレミアムを支払うことは健全なことだろう。

> **column**

投資家にとってのシナジーとは

　これまで検討してきたプレミアム支払いの根拠は一般にM＆Aの「シナジー（Synergy＝相乗作用）」と呼ばれている。1＋1＝2ではなく1＋1＝2＋αのα部分がシナジー効果だ、という風に説明される。

　私の印象では、シナジーという言葉は米国ではコストの合理化という側面を指して使われることがほとんどである。2つの組織が合体することにより、管理部門の人員が何％削減できる、営業部隊を統合することにより重複する営業所を閉鎖して何万ドルの経費節減になる、というような、金額として明確に把握できる効果をシナジーと呼ぶことが多い。

　これに対して日本では「シナジー効果」という言葉をより広くM＆Aにおいて使っているように感じられる。先にあげた経営資源の共有化における「相互補完」や、「世界の業界トップ10に入る規模になる」、「優秀な人材確保」、「製品ラインアップの強化」といったスローガン的なメリットを「シナジー効果」と呼ぶことは、言葉の意味としては間違いではない。ただ、将来のキャッシュフローに金額としていくらの貢献をもたらすものなのかを具体的に示さないかぎり、そのままではコントロール・プレミアムの支払いを正当化するシナジー効果とは言えない。経営者がいくら概念的なメリットとして「シナジー」を強調しても、米国では財務数字の裏付けのとれないものは投資家やアナリストがあまり評価してくれない、ということが両国の差なのかもしれない。具体的な金額に引き直すことのできる「シナジー」、これがM＆Aにおいて高い値段を正当化するよりどころである。そしてその根拠は買収する側の戦略目的、買収意図をはっきりさせることによって、具体的な数字の形をとって浮かび上がってくる。

2. 支払うべき価格の上限

プレミアムの根拠

　以上、コントロール・プレミアムを支払って他社を買収するM＆Aの代表的な動機を挙げてみた。これらの検討から「妥当なプレミアムはいくらか」という問いに対する答えが導き出される。オーナーが自分の手金で買収する場合を除けば、買い手が支払うことができる買収金額は、
「その金額を前払いしても、自分が経営するならば自社の株主・投資家の期待収益率の水準と同等以上の投資利回りをあげることが見通せる価格」
と表現できる。
　この「上限」価格と現状のままの会社価値との差が生まれる要因は、以下の3点に集約されている。

① 5年間の収支計画の差
　将来キャッシュフローを現在価値とし、類似会社の倍率を用いて予想最終年度における企業価値を算出するという企業価値算定のやりかたは株式公開においてもM＆Aにおいても、その枠組みは変わらない。
　それでもM＆Aの場合にのみコントロール・プレミアムを支払うことが正当化される理由は、
「将来キャッシュフローの見方が、一般投資家株主とM＆Aを目論む戦略投資家との間で異なる」
というのが大きな理由である。
　株式投資家は経営を現状の経営陣に任せる場合のキャッシュフローで将来像を描く。これと、先にあげたさまざまな動機で買収を目論む会社の経営陣が描く将来キャッシュフローの予想に差がでる。つまり価値算定のベースとなる5年間の収支計画そのものにM＆

A買収者は自分の経営信念をこめて「主観的な」修正を加えるのである。

② 買い手の安定性の差

たとえば収益力もその安定性も抜群な大会社がA社を買収する場合、それによりA社事業の将来不確実性が変化する。しっかりした経営者、資金力のある親がバックに控えることにより不確実性が下がればディスカウントレートをより低く想定することが可能になる。すると当然現在価値＝企業価値としてより高い値段が正当化できることになる。

③ バランスシートの改善

さらに、第三章2で、会社価値＝企業総価値－ネット・デットとして説明したとおり、会社のバランスシートには事業継続に直接必要でない資産が計上されていたり、外部借入金への依存度がまちまちであったりする。M&Aにおいて借入金を除外した「企業総価値」に注目する理由は、買収後のA社の負債・資本構成をどうするかについては買い手が自由にきめればよいことだからである。この「バランスシートに対する支配権」からも、コントロール・プレミアムの根拠が見出し得る。資本力のある買い手が買収することによって取引先との支払い条件や借入金金利が改善したり、税務上のメリットが生きてきたりする場合、その効果を金銭価値に引き直した分がプレミアム支払の根拠になる。

以上のとおり、コントロール・プレミアムの根拠は経営支配権の価値だ、と一般に言われていることの意味は、

① 対象会社の将来キャッシュフローをより高める能力、
② 事業の安定性をより高める能力、
③ 対象会社のバランスシートをより効率的にする能力、

を価格算定の公式に織り込む権利の価値だ、と言い換えることができる。そしてそれは共通の価値算定モデルを使うことによって数字として把握でき、投資リターンがどれほど期待できるかという形で、判断のものさしとして使うことができるようになる。

　企業買収を、対象会社の経営資源を自分のものとする「利用価値」に着目する活動ととらえることは間違いではない。しかしこの支配権を、前述の３つの能力をもって対象会社の「投資価値」を高める行為と考えた方が、Ｍ＆Ａという活動の意義と本質がつかみやすく、経営者にとっても判断の座標軸がはっきりするのではなかろうか。

プレミアムは誰のものか

　前述の３つの能力を存分に発揮して買収価格算定モデルに数字を入れれば対象会社の算定価格は上がるに違いない。しかし、その満額を対象会社の株主に支払ってしまうとおかしなことになる。「会社の経営を支配できるならば」、という理由で正当化され得る買収金額の上乗せは、買い手会社の経営能力あってこそ実現する価値である。その対価をそのまま前払いで相手に支払ってしまえば、会社を売却する株主がそのプレミアム差額を受け取ることになる。会社を売却して事業経営から身を引く立場の者や、そもそも全く経営に参画していない一般株主が、何故売却に際してプレミアムまで要求できるのか釈然としない、という感覚はもっともである。

　それではプレミアム無しで売却するのが正しいかというとそうでもない。将来キャッシュフローは、売却しなければ株主の懐にいずれ入るもので、その現在価値相当額をそのまま受け取ったところで売り手にとっての経済的メリットは無い。売り手株主によほど切迫した資金繰り上の問題があって、一日もはやくまとまった現金が必要だという事情でもない限り、売るべきだと考える動機にならない。

　現状のまま事業を続けた場合の企業価値と、買い手によってのみ実現可能となる企業価値、この下限と上限の間の価格が、売り手と

買い手の双方にとってM＆Aをした方がしないよりいい、という取引価格レンジになる。実際にはM＆Aとなると外部専門家費用をはじめ、多くの時間と労力のかかる作業なので、経営陣の貴重な時間を含めたコストを両者が支払ってもまだおつりがくる、という価格帯が交渉の土俵となる。

「なんの汗もかかずリスクもとらない売り手株主や事業の将来性を生かさない経営しかできない親会社になぜ我々が産み出す価値の分け前をプレミアムとして与えなければならないのか？」
と言って、経営力のある会社が偏狭にも買収を断念すればどうなるか。買収によってもたらされるはずであったさまざまなメリットは買い手にも、売り手にも、社会にも、誰にも享受できなくなる。買収という行為がゼロサムではなく新たな価値を創造する行為である限り、その実現に直接貢献する能力のあるものと、その実現の場を提供するものが価値を分け合うべきであろう。この、いわゆる「Win-Win」の取引という発想で、実際のM＆A交渉は行われる。

3.てこの原理による投資利回り向上

買収後の事業の資産・負債・資本構成を自由に変更することができる、という買い手の能力については、信用力の増加に伴う仕入れ条件や借り入れ条件の変更を例としてあげた。対象会社のバランスシートを改善する能力の価値はこれに留まらない。基礎編のまとめで、「米国で無借金・含み益経営をしていると買収対象として狙われる」と述べたことの意味をここで説明しよう。いわゆるレバレッジド・バイアウト（Leveraged Buy-Out、ＬＢＯ）と呼ばれる買収手法で、その錬金術的テクニックの実際は次章の具体例を参照いただきたい。このような積極的財務・税務戦略の実行によって正当化できる買収価格が変化し得るという事実は、実は意外に知られていない。

レバレッジ効果の正体

レバレッジ（梃子）効果とは、一言でいうと、「借入金をたくさん使うことによって資本投資利回りが向上する」効果である。シーソーの片側にあなたが乗っていて、反対側に相棒が飛び降りるとあなたは勢いよく空中に舞い上がる・・・・サーカスなどのアクロバットによくあるイメージから「てこの効果」と呼ばれている。

借入金の有無が投資リターンに影響をあたえる姿を簡単な事例で示してみよう。

ここに無借金の会社Ｔ社がある。その今年度の損益と３年後の損益予想が［表6-1］のとおりだと仮定する。

表6-1　T社の要約P/L

（単位：億円）

	今年度	3年後
売上高	100	150
営業利益	10	15
支払金利額	0	0
経常利益	10	15
法人税等（40％）	4	6
税引後利益	6	9

（支払金利額欄について：無借金なので金利支払はない）

ある大金持ちＲがこのＴ社を今年度営業利益の10倍、100億円の現金を支払って100％買収したとする。３年目の事業年度において、Ｒは100億円の投資に対して年間９億円の利益を得る。この年における、この買収の投資利回りは９％である。もし３年後も成長が全く無かった場合は、今年度と同じ６億円の税引後利益で100億円の投資利回りは６％ということになる。

かたや、小金持ちＳがＴ社を同じく100億円で買収したとす

る。Ｓは買収対象のＴ社株式を担保に90億円を銀行から年利10％で借りることに成功したとしよう。元本の返済は3年間据え置き、4年目から始まるものとする。Ｓが自己資金として投資する金額は100－90＝10億円である。この場合、買収後の損益は、買収資金コストとしての支払い金利9億円（90億円×10％）を反映させると、以下のようになる。変わるのは支払金利が発生する部分だけである。

表6-2 T社資産を担保に90億円を借りた場合のT社要約P/L

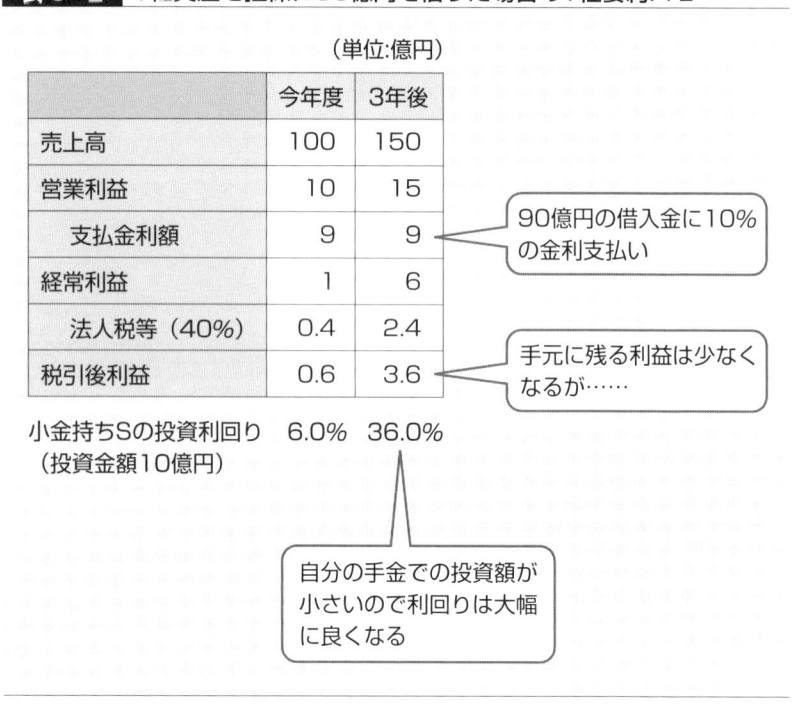

（単位:億円）

	今年度	3年後
売上高	100	150
営業利益	10	15
支払金利額	9	9
経常利益	1	6
法人税等（40％）	0.4	2.4
税引後利益	0.6	3.6
小金持ちＳの投資利回り（投資金額10億円）	6.0％	36.0％

- 90億円の借入金に10％の金利支払い
- 手元に残る利益は少なくなるが……
- 自分の手金での投資額が小さいので利回りは大幅に良くなる

　この場合もＳはＴ社を100％保有しているので、3年目の事業年度においてＢは10億円の自己資金投資に対して3.6億円の利益をあげることになる。投資利回りはなんと36％である。
　Ｔ社が3年後も全く成長せず、今年度と同じ損益だったとするとどうなるか。同じ10億円の営業利益から9億円の金利を支払

い、Ｓの手取りは税引後で 6,000 万円。投資利回りは 6 ％に急落する。翌年から始まる元本返済原資もなく、さきゆき資金繰りが悪化して倒産するリスクが急激に高まる。

　これがレバレッジ効果の実像である。レバレッジのかかった、すなわち借入金に依存した投資はそうでない場合に比べて利回りのブレが大きくなるが、大きなリターンを得られるチャンスが広がる。そうなる根拠は、

1．変動する損益のうち、一部分を支払金利額として固定するとすると残りの部分の振れはますます大きくなる、
2．支払う税金が少なくなる（上記の例では 9 億円（金利）x 40 ％= 3.6 億円の節税効果）

の 2 点に集約される。事業の将来性に自信がある買い手なら、なるべくレバレッジをかけて税金の支払いを少なくし、高い投資利回りを追求するというのは真っ当な考え方である。

　ＬＢＯとは、買収対象会社の資産を担保にして外部借入金の比率を高く、自己資金の比率を低くして高い投資利回りを追求する形の買収である（スキームについては巻末用語集参照）。米国で 1980 年代後半に、「ジャンク債」とよばれるリスクの高い、従って金利の高い社債を発行する手法が開発された。伝統ある大企業がこのジャンク債を使って巨額の買収資金を調達できるようになった LBO 投資家グループの標的になり、買収されてその後バラバラに分割される、ということが頻繁に起こった。その印象から LBO というと会社を借金漬けにして金融機関や投資家が利益を吸い上げる手法、といった悪いイメージを持つ人も多い。しかし、借入金に頼って企業買収すること自体は日本でも日常茶飯に起こっている。日本の場合買い手会社がその借入金の元利払いを保証しているところが大きな違いであるが、この LBO モデルというのは買収後の資金繰りをシミュレーションするのに便利なモデルなので、企業価値算定の事例に沿って次章で具体的に検討することとしたい。

第七章

M＆A現場の実況中継

―A社を買収せよ

　プロの現場でのM＆A価格算定につき、その枠組みと手法をここまで説明してきた。5年間の収支計画に買い手ならではの思い入れをこめることにより、また財務・税務の積極的戦略手法を用いることにより、実際にどのように買収価格が変化し得るのかをこれから簡単な実例をつかって疑似体験してみよう。

　大きな総合電機メーカーP社の子会社にA社という架空の会社がある。コンピューター関連のハード機器メーカーとでも想定していただきたい。年商1,000億円、2000年度の営業利益は70億円という規模だとする。

　総資産は1,250億円。過去の蓄積があるので手元キャッシュ残高が150億円あり、さらに100億円を投資有価証券として運用している。自前の工場を持っており、土地は40年前に取得したのでかなりの含み益を持っている。

　銀行等からの借入金が550億円あり、運転資金に充当されている。

　A社のバランスシートおよび2000年度の損益計算書は次ページのとおりである。

表7-1　A社財務諸表

損益計算書(P/L) （単位:億円）

	2000年度実績
売上高	1,000
粗利益	370
粗利益率	37%
販売・管理費	250
研究開発費	50
営業利益	70
営業利益率	7.0%
減価償却費	100
EBITDA	170

貸借対照表(B/S) 2000年度期末時点 （単位:億円）

[資産]

現金・預金	150
投資有価証券	100
その他流動資産	500
固定資産	500
資産計	1,250

[負債・資本]

流動負債	200
社債・借入金	550
引当金	100
負債計	850
資本の部	400
負債・資本計	1,250

　A社の位置する業界はご多分にもれず競争が激しい。A社自身もここ数年、売上はなんとか伸ばしているが価格低下の影響で粗利益率がじわじわと下がっている。経営陣の2001年度予算は売上3％増、粗利益率が2ポイント低下して営業利益は前年比マイナスという厳しい見通しである。

　A社経営陣は業界の競争に勝ち残ってシェアを伸ばす為に、今先行投資をすべきだと考えており、向こう2年間は通常の100億円の設備投資額を2倍の200億円にすることを計画。それによって4年目以降年率7％の売上増と粗利益率の5ポイント改善を見込んでいる。

　A社経営陣が策定した5年収支計画は[表7-2]のとおりである。

　ありがちな話で、親会社P社の2001年度戦略は「選択と集中」。残念ながらA社は強化分野に入っておらず、したがって足元のキャッシュフローがマイナスになるような先行投資は承認されそうに

表7-2 A社経営陣作成5年収支計画

(単位:億円)

	2000年度 実績	2001年度	2002年度	2003年度	2004年度	2005年度
		予想				
売上高	1,000	1,030	1,071	1,125	1,203	1,288
伸び率		3%	4%	5%	7%	7%
粗利益	370	361	375	416	481	515
粗利益率	37%	35%	35%	37%	40%	40%
販売・管理費	250	250	263	276	289	304
研究開発費	50	50	50	50	50	50
営業利益	70	61	62	91	142	161
営業利益率	7.0%	5.9%	5.8%	8.0%	11.8%	12.5%
減価償却費	100	130	160	150	140	120
EBITDA	170	191	222	241	282	281

ない。それどころか販売管理費抑制の大号令が出ており、設備投資するなら営業・管理のリストラを、と要求されている。攻めにでるべき時期にリストラを行なって社員の士気が落ち優秀な営業マンを他社に引きぬかれるようでは、設備投資をしても意味がない‥‥

戦略上重要でないという理由で親会社PがこのA社を売却するとしたら、いくらの値段がつくだろうか。買い手次第で以下のように3通りの「適正」価格が算定できる。

1. プロが普通に算定した場合の会社の値段

最初に、第五章4で紹介した、M&A価格算定モデルのステップに沿って価格算定を行なってみよう。

ステップ１　将来キャッシュフロー計算

　まずはＡ社経営陣が作成した５年収支計画をもとに、将来のキャッシュフローを計算する。ここでは、事業を計画どおり進めていった場合、毎年買い主が会社から引き出すことのできるキャッシュはいくら残るか、という考え方で、「フリー・キャッシュフロー」を以下のとおり算出して、現在価値算定のベースとする。

　利益：キャッシュフローの源泉はもちろん利益である。そして、手元に実際に残る利益としては税金を差し引かねばならない。そこで営業利益から支払う税金（実効税率４０％と想定）を差し引いて税引後営業利益 (Net Operating Profit After Tax, NOPAT) を算出する。
　なぜ実際の税引後利益をそのまま使わないかというと、それには金利等の受払いが含まれているからである。「裸の企業価値」を算定する際には余剰資産や外部借入金をいったんはずして考えるべきことはすでに述べた。であるならば、それらから発生する金利収入や費用もはずして考えなければならない。

　減価償却：第四章３でキャッシュフローについて説明したとおり、キャッシュフロー計算にあたっては、現金の出入りを伴わない費用（損失）は足し戻す必要がある。これには、評価損の計上や引当金・準備金などの積み立て（繰入）等があるが、ここでは単純にその代表的項目である減価償却だけがあるものとして、経営陣の計画どおり向こう２年間２００億円ずつ、それ以降は１００〜１１０億円／年の設備投資をした場合の減価償却額を想定した。減価償却金額相当分は実際にはキャッシュが減っていないので１の利益にプラスする。

　設備投資：減価償却の全く逆で、資産への投資は、現金は減るが会計処理上は資産に計上されてそのまま損失とはならず、従って利益額に反映されない。実際に将来の利益を産み出す為に必要な設備

投資分は現金を取り崩さねばならないので、この金額をマイナスする。逆に保有資産を処分した場合は、売却益としてすでに１の利益に反映されていない部分についてキャッシュフローの増加となる。

　運転資金の増減：運転資金とは、事業をまわしてゆく為に月々必要となる資金である。具体的には、材料を仕入れて製品を作り、それを在庫して販売し、請求書を送って代金を回収する・・・このサイクルを回してゆくための資金で、ここでは単純に現金性の資産を除く流動資産500億円から、外部借入金を除く流動負債200億円を差し引いた額300億円を運転資金と考える。この資金は常に会社が負担せねばならない。通常、運転資金は売上が伸びるにつれて増加するので、ここでは売上の成長率に比例して運転資金が増加すると想定する。この運転資金増加分は事業を行なうために追加で必要となる金額なので、これもキャッシュフロー計算上はマイナス要因となる。

　NOPAT(税引後営業利益)からスタートしてこのような増減調整をしてフリーキャッシュフローを算出すると［表７－３］となる。親会社のいやがるとおり、向こう２年間はキャッシュフローがマイナスとなる。つまり現金の持ち出しとなる。主たる要因は設備投資で、その効果が遅れて収益に表れるというタイムラグが当初２年間の「金食い虫」期間の大きな理由となっている。とはいっても事業が計画どおりすすめば３年目以降は80〜100億円レベルのキャッシュを安定して産み出す、金の卵を産むガチョウに変身する可能性を持っていることもこのキャッシュフロー表からわかる。

ステップ２　５年後時点の企業価値＝ターミナル・バリューの計算
　５年目の事業年度においてＡ社は年間161億円の営業利益と281億円のＥＢＩＴＤＡをあげられる会社になっている。そしてその後も安定した成長が見込まれる。こういう会社を株式公開またはＭ＆Ａで売却したとするとどれほどの価格がつくか。現在株式を

表 7-3 A社フリーキャッシュフロー計算表

(単位:億円)

	2001年度	2002年度	2003年度	2004年度	2005年度	5ヵ年合計
税引後営業利益 (実効税率40%)	36	37	54	85	97	310
＋減価償却費	130	160	150	140	120	700
－設備投資額	200	200	100	105	110	715
－運転資金増加	9	12	16	24	25	86
フリー・キャッシュフロー	−43	−15	88	97	81	209

上場・公開している類似会社からその値段を推定する、類似会社比準方式をここで使う。124ページにあげた類似会社比準方式の事例をそのまま参照し、企業総価値に対するＥＢＩＴＤＡ倍率の平均10倍、すなわち

281　x　10 ＝ 2,810 億円

あたりを5年後時点でのA社の企業総価値と想定しよう。

現在価値への割引き

　フリーキャッシュフローの累計は向こう5年間で209億円のプラスになる。それに5年後時点での想定企業価値約2,800億円を加えた合計が、A社という投資対象が将来的に産み出すキャッシュである。

　しかしながら、それに対して今いくら払うべきかを算定するには、現在価値に引きなおさねばならない。そして現在価値を算出するにはディスカウントレートを決めなければならない。

　A社固有のディスカウントレートは第二章4で検討したとおりCAPMを使い、

> 無リスク金利＋ベータ x 株式市場プレミアム

で算出する。

　無リスク金利としては現在の10年国債の利率（1.5％程度）を用いるべきかもしれないが、歴史的に見てもデフレ的な環境でこれだけ低い水準の無リスク金利が長期間続くと想定することは現実的ではない。プロに相談し、実質金利として3％と置く。

　株式市場プレミアムは同じく投資銀行・証券会社のアナリストによると3％程度とのことだ。

　ベータは、この事業特有のリスクを数値化するための係数である。A社が200億円の追加投資によって競争力を回復・増強し、7％の売上成長と5ポイントの利益率改善を達成することが難しそうであれば、ベータは株式市場平均の1よりも大きな数字になる。類似の上場会社も似たような競争環境、不確実な将来性を持っており、市場平均よりリスクが高いとみなされているようで、1.3という係数になったと仮定する。親会社の強化分野に入っていないA社のことであるからもっとリスクは高いかもしれないので、1.6という高めの係数も想定しておこう。これらの前提でA社に適用するディスカウントレートを計算すると、

　　3％ ＋ 3％ x 1.0 ＝ 6.0％
　　3％ ＋ 3％ x 1.3 ＝ 6.9％
　　3％ ＋ 3％ x 1.6 ＝ 7.8％

となる。そこで、7％を中心とする6〜8％のレンジにとり、ターミナル・バリューもＥＢＩＴＤＡ倍率9〜11倍のレンジを想定する。そしてそれぞれのディスカウントレートで各年度のキャッシュフローとターミナル・バリューを現在価値に引き直し、合計すると3 x 3 ＝ 9通りの現在価値が算定できる［表7－4］。これがA社の「企業総価値」である。2,100億円あたりがスイートスポット、ただディスカウントレートや最終年度のＥＢＩＴＤＡ倍率

表7-4　DCF方式に基づくA社企業価値の算定

A社企業価値の算定　　　　　　　　　　　　　　　　　（単位:億円）

①フリー・キャッシュフローの現在価値

ディスカウント・レート	5カ年合計
6.0%	158
7.0%	151
8.0%	144

②ターミナル・バリューの現在価値

ディスカウント・レート	EBITDA倍率	9倍	10倍	11倍
	6.0%	1,891	2,101	2,312
	7.0%	1,805	2,005	2,206
	8.0%	1,723	1,914	2,105

現在価値合計①+②

ディスカウント・レート	EBITDA倍率	9倍	10倍	11倍
	6.0%	2,049	2,259	2,469
	7.0%	1,955	2,156	2,356
	8.0%	1,867	2,058	2,249

に幅をもたせると、1,900〜2,400億円というレンジ価格となる。

ステップ3　価格の検証①

　こうやって算出されたA社企業価値が妥当かどうかを検討するために最近行なわれた類似のM&A取引と比較し、買収プレミアムが妥当な範囲に収まっているかを検証する。

　2,100億円という企業総価値を再び、類似会社比較と同様に倍率比較してみる。A社の2000年度のEBITDAは170億円、従って2,100億円をこの数字で割り算するとEBITDA倍率で12.9倍となる。

　類似の上場会社の同倍率は直近の実績値に対して10倍なので、プレミアムとして29％上乗せしたことになる。

　このプレミアムが妥当なのだろうか。何度も述べてきた通り適正価格は買い手によって異なるのでプレミアムが何％なら妥当で、

何％なら不当とはいえない。しかしながら、売り手である親会社にも株主がいるわけだから、一般の投資家から見て「妥当」以上のプレミアムがついている事が望ましい。そうでなければ売り手Ｐ社が売却の承認を得られずＭ＆Ａ交渉はまとまらない。

そこで、過去の類似のＭ＆Ａ取引事例を探し、その取引では直前期の実績値に対して何倍の価格が支払われたのかを調査する。この作業は気休めのため、という気も正直するが、Ｍ＆Ａ意思決定のための役員会では必ず誰かが質問する。横並び思考の強い日本だから、ではなく米国の会社でもこの点に変わりは無い。

自分でやってみるとよく分かるが、過去の取引で結局いくらが支払われたのか、その買収対象会社の直前期の財務数字がどうだったのか、を正確に把握するのは極めて難しい。その情報は案件取り扱い数の豊富な投資銀行や会計事務所等に蓄積されている。だからこそ、経験と蓄積のあるアドバイザーに「妥当だ」と言ってもらうことが必要になる。

一般的には支配権のプレミアムは30％程度などと言われており、そこから考えるとＡ社の2,100億円は買い手にとってはいい価格であろう。売り手側の親会社にとってはもうひと声ほしい、という価格かもしれないが、「選択と集中」を今年度の戦略に掲げていることもあり、ずるずると交渉を続けたり他の買い手候補に今から声をかけたりすることのコストを考えれば悪くない値段だと考えられる。

価格の検証②

以上見てきた、ディスカウント・キャッシュフロー方式をベースにした価格算定のやり方に対して、よく出される疑問がある。
「将来キャッシュフローの現在価値、と言っているが、実際は現在価値の大半は５年後にいくらになっているかという部分が占めている。その部分について類似上場会社の倍率をえいや、と使っていていいのか？もっと精緻なやり方はないのか？」

確かに、表７－４をみればわかるとおりＡ社の企業価値

2,100億円のうち、向こう5年間のフリー・キャッシュフローの現在価値は150億円程度にすぎない。企業価値のほとんどの部分が5年目以降のキャッシュフローで回収されることになるとすると、予想最終年度における企業価値については別の角度からも検証できれば安心である。

その1つの方法として、永久還元の定義式を持ち出してみよう。5年目の年度におけるフリー・キャッシュフロー(C)は81億円となっている。算定した5年目時点での企業価値(PV)は2,800億円。これを$PV=C/(r-g)$に入れると、

$r-g = 81 \div 2,800 =$ 約3％となる。

3％というのはrとして7％を想定すれば成長率4％で永遠に成長しつづけることを想定した値となる。

これらの値をどう見るかはまさに経営判断だ。5年後にそこまでしっかりした事業基盤の会社になれると思えば、4％という5年目以降の成長率は、それまでの7％という売上成長率に比べて不当に高いとはいえない。

ステップ4　企業総価値から株式買収価格を算出

これでできあがり、と2,100億円を買収価格として提示してはならない。「裸の」企業価値(企業総価値)を実際の会社の値段とするために、いったんはずして考えていたネット・デット分を戻さねばならない。第五章で説明したとおり、M&Aにおいては弁護士や会計士がバランスシートを精査し、キャッシュフロー創出に関係のない資産や、計上されていない隠れた負債を洗い出す、「デュー・ディリジェンス」という大切なプロセスがある。

デュー・ディリジェンスの結果、以下のような項目が発見されたとしよう。

① 保有有価証券の中身
　A社のバランスシートに載っている有価証券100億円のうち、50億円は国債、50億円は上場会社株式であった。株式はバブル期に乗せられて買ってしまったもので、時価は30億円しかない。
② 不動産の含み益
　A社の工場敷地は40年前に取得したもので、その後周辺地域は郊外住宅地として開発され、地価が高騰した。バブル崩壊後の現在でも保有不動産の簿価20億円に対し、時価はなんと520億円と鑑定された。
③ 退職給付債務
　従業員の退職金・年金の積み立てが不十分であることが発覚した。外部専門家に評価レポートを作成してもらったところ、200億円追加で積み立てなければ現在の社員に約束したとおりの退職金・年金が支払えないとのこと。

　ほかにも限りなく問題はでてくるものだが、あまり複雑にしても仕方がないのでこの3点のみと仮定する。

　①については、これがコンピューター関連ハード機器事業のキャッシュフロー創出と直接の関連がないことは明らかであろう。（ただ、バブル期に買った株式が取引先等のもので、それを一方的に売却すると取引条件の悪化となって収益に跳ね返ってくることが明白ならば話は別だが。）

　③の退職金・年金債務の積み立て不足分も、将来発生することが確実な債務であるならば、借入金と同じ扱いにすべきだろう。ただし、積み立ては損金として処理されるとすると、実際の負担は税効果を勘案して60％掛けとしてさしつかえない。

　②の工場敷地については、話はより複雑である。工場の敷地や従業員の社宅・保養所のような資産は、それが現在事業に使われてい

る、あるいは優秀な従業員を採用し高いモラルで働いてもらう為の必要資産だと言えなくはない。しかしながら、もしそれらの資産が巨大な含み益を有しているのであるならば、売却して工場等を別の場所に移した方がよいかもしれない。ここでは、工場を別の場所に移し、従業員対策等々すべての予想される費用も織り込んだ上での総費用が200億円かかるとする。その場合土地の含み益500億円のうち、「事業活動に関係ない」と認定できる益は300億円ということになる。

新しい工場敷地を購入せず賃借すればもっと安い費用ですむだろう。しかしその場合は将来の土地の賃借料を収支予想に反映して修正しなければならない。

このように、資産・負債の価値の調整部分を直接買収金額の調整項目にするか、将来キャッシュフローの予想の中に織り込んで現在価値としての企業価値に反映するか、はお互いに表裏一体の関係にある。大切なのはどちらにも反映されてダブルカウントになっていたり、逆に価値算定から抜け落ちたりしないことである。これらの作業は実際には税務上のインパクトも考慮にいれてプロの専門家のアドバイスをしっかり受けて進めるべきことなので、本書では技術的詳細には立ち入らない。M&Aを検討する会社の経営者にとって肝要な視点は、「企業価値はキャッシュフロー創出に必要な、贅肉を落としたバランスシートから生まれてくる」という目で対象会社の財務諸表を吟味することだ、ということだけを強調しておきたい。

A社の場合、事業活動に関係ない資産と外部借入金を調整したネット・デットは［表7－5］のとおり232億円となる。

企業総価値約2,100億円からこの約230億円を差し引いた1,870億円が、「普通に」算定した会社の値段となる。これは売り手側P社が念頭においている価格と解釈して差し支えない。

表7-5 ネット・デット調整

項目		金額（億円）	
資産側	現金・預金		150	①
	有価証券	簿価	100	②
		時価	80	③
	土地・設備関係	簿価	20	④
		時価	520	⑤
		移管費	200	⑥
	合　計	時価－移管費	550	①+③+⑤−⑥
		簿価	270	①+②+④
	売却益課税	40%	112	
	税効果調整後現金同等物		438	X
負債側	退職給付積立て不足額		200	
	税効果考慮後の実質負債額		120	
	借入金		550	
	合　計		670	Y
ネット・デット			232	Y−X

2. 実力派外資メーカーＸ社ならここまで出せる

　Ｘ社は欧州の大手総合電機メーカー。Ａ社の現在の親会社Ｐ社とは戦略方針が異なり、Ａ社事業分野における世界のリーダーとなることを目標としている。

　日本でもすでに10年間事業を展開しているが、規模はＡ社の1/4程度、販売網作りとブランドに対する日本ユーザーの信頼が未だ打ち立てられず、伸び悩んでいる。Ａ社の売却はＸ社にとって、日本市場に確固たる事業基盤を築き世界のリーダーとなるための渡りに舟のチャンス、是非とも買収したいと目論んでいる。

　Ｘ社内に結成された買収プロジェクトチームはすでに外部アドバイザーの協力を得てデュー・ディリジェンスを終え、通常の買収価

> 格算定モデルの作成までは終了した。これから欧州本社経営会議用の説明資料を作成し、上限いくらまでOKという了承をとった上で交渉に臨もうという段階である。

X社特有の事情を列挙して、それがどのように買収価格算定モデルに反映されるか検討しよう。

生産コストシナジー
* A社は実は部品の多くを台湾から輸入している。X社はすでに中国・台湾に自前の生産工場を持っており、そこでは部品の製造から完成品まで一貫の生産が可能だ。それにより製造原価は1〜2ポイント下げることができる。
* X社の日本子会社は最終工程と品質管理・物流センターのための敷地と設備を、地方に保有している。地方自治体の産業育成補助金や投資優遇制度があり、A社の現在の工場設備を低コストで移管できる。総移管コストは先ほどの200億円より安い150億円と想定され、1年後には稼動可能だ。
* A社経営陣が競争力強化のために提案している向こう2年間での200億円の追加投資はX社としても是非実行すべきだと考えている。X社の既存設備、ノウハウを導入すれば1年目の100億円だけで足りると想定される。

販売管理シナジー
* X社の日本子会社はA社本社に吸収する。それによって2社合計の販売管理コストが2年目以降年間30億円合理化できる。その合理化を達成するために、初年度にリストラが必要だ。日本においてリストラは難しいし、モラルの低下を招かないように進めなければならない。初年度に退職給付の積み立て不足分200億円をすべて経費計上し、早期退職希望者を募ることとする。

研究開発シナジー

＊Ａ社の研究開発力は定評があり、むしろＸ社側で世界展開するためにさらに強化したい。日本における研究開発費は増加させるが、その分Ｘ社自身の本国での研究開発費を合理化する。その合理化メリットが全社合計で20億円想定できるが、これは計算上日本法人の研究開発費低下として反映させておく。

販売見通し

＊買収後２年間は移行期のゴタゴタで売上が減少することを覚悟する。前年比△５％、△３％をそれぞれ想定。３年目以降はその分成長率をあげて、５年目の売上を現状の収支計画なみに戻すことは十分可能だと想定する。マーケティングを強化し、かつ日本子会社の製品と合わせて効率的営業ができれば、さらに売上を増加させる自信はあるが、そのための宣伝広告費・販促費や営業部隊の研修費用等も増やすので、５年目までの収支予想には売上促進シナジーは計上しないこととする。

以上の項目を前述の買収モデルに入れると［表７－６］のとおり５年間収支・キャッシュフロー計画ができあがる。ちなみに、Ａ社の工場敷地は２年目の事業年度中に移管を終了して売却すると仮定する。

そしてこのシナリオのキャッシュフローを現在価値に引き直す。ディスカウントレートはどうすべきだろうか。実際の買収資金の調達は円通貨で行なうことだし、親会社Ｘは日本での借入金に保証をつけることを承認しているので、実際の資本コスト（加重平均資本コスト（WACC）、巻末用語集参照）はかなり低く抑えられるはずである。ここは５％というディスカウントレートまでレンジにいれて説明資料を作成する。

以上の諸前提を織り込んで、表７－４と同じ現在価値算定マトリックスを作成する。結果は［表７－７］のとおりで、ディスカウントレート５％まで想定すれば企業価値は3,000億円近くへと

表7-6 X社によるA社買収後収支・キャッシュフロー計画

X社プロジェクトチーム作成5年収支計画

損益計算書(P/L)(単位:億円)	2000年度 実績	2001年度	2002年度	2003年度	2004年度	2005年度
		予想				
売上高	1,000	950	922	1,023	1,146	1,283
伸び率		−5%	−3%	11%	12%	12%
粗利益	370	333	341	399	470	526
粗利益率	37%	35%	37%	39%	41%	41%
販売・管理費	250	250	233	244	256	269
研究開発費	50	30	30	30	30	30
土地売却益			500			
一時費用		200	150			
営業利益(一時費用考慮後)	70	−148	428	125	183	227
営業利益率(除、一時費用)	7.0%	5.5%	8.5%	12.2%	16.0%	17.7%
減価償却費	100	130	140	130	120	110
EBITDA	170	−18	568	255	303	337

フリーキャッシュフロー計算表 (単位:億円)

	2001年度	2002年度	2003年度	2004年度	2005年度	5ヵ年合計
税引後営業利益	−148	316	75	110	136	490
＋減価償却費	130	130	130	120	110	620
−設備投資額	200	100	100	105	110	615
＋固定資産減少		20				20
−運転資金増加	−15	−9	30	37	41	85
フリー・キャッシュフロー	−203	375	74	88	95	430

跳ね上がる。

　約3,000億円の企業総価値にネット・デットの調整を加える。不動産の含み益や退職給付金積み立てはすでにフリーキャッシュフロー算定に織り込んだのでこれはダブルカウントしないように除外せねばならない。ネット・デット調整額は312億円となりプロジェクトチームの結論として、

「A社買収には最高2,700億円まで支払うことが正当化され得

表7-7 X社によるA社企業価値の算定

A社企業価値の算定 (単位:億円)

①フリー・キャッシュフローの現在価値

ディスカウント・レート		5カ年合計
	5.0%	358
	6.0%	346
	7.0%	334
	8.0%	322

②ターミナル・バリューの現在価値

	EBITDA倍率	9倍	10倍	11倍
ディスカウント・レート	5.0%	2,376	2,640	2,904
	6.0%	2,266	2,518	2,769
	7.0%	2,162	2,402	2,642
	8.0%	2,064	2,293	2,522

現在価値合計①+②

	EBITDA倍率	9倍	10倍	11倍
ディスカウント・レート	5.0%	2,734	2,998	3,262
	6.0%	2,612	2,863	3,115
	7.0%	2,496	2,736	2,976
	8.0%	2,386	2,615	2,845

る」

となった。EBITDA倍率にして15.9倍、プレミアム59％という魅力的買収提案である。それだけに支払うのれん代（買収金額－簿価純資産）は2,700－1,250＝1,550億円と膨大になり、毎年の営業権償却がX社株主の会計上の一株当り利益に大きくマイナスのインパクトを及ぼす。さらに買収初年度の2001年度は特別損失200億円あり、売上減少あり、で150億円の赤字となるので、A社を連結するとX社全体の利益が大きく落ち込むような話となる。X社株主も簡単には承認しないかもしれない。本社経営陣、役員の「世界市場のリーダーになる」というビジョンへの信念が問われる提案、経営会議での議論紛糾は必至であろう・・・・

上限価格として2,700億円を経営会議で承認してもらうという内部根回しはさておき、X社がこの値段を最初からP社に提示してはならない。プレミアムの源泉はあくまでX社がもたらす新たな企業価値なのだから、それを売り手P社にそのまま支払ってはお人よしにもほどがある。アドバイザーは、2,000億円を下回る価格提示でP社は呑むはずだと分析している。

　プロジェクトチームが実際にどういう価格を売り手側に提示するか、最初のカードとして何を切るか、という交渉戦術の検討にはいった時、アドバイザー経由でショッキングな情報が入ってきた。

「米国の有名な会社買収ファンドであるYグループが、日本向け買収ファンドとして集めた1,000億円を使ってA社買収に名乗りをあげた。彼らはすでに確定買収金額を売主P社側に提示し、売主からのイエスかノーかの回答期限を1ヶ月後と設定した」

　A社の会社価値として2,000億円ほどかかるのだから、1,000億円のファンドでは買収できないよ、とのんびり構えていてはいられない。自己の出資金額を小さく抑えて最も高い投資利回りを実現する「LBO (Leveraged Buy-Out)」という手法を駆使し、米国で大きな会社を次々と買収しているYグループである。その評価手法を検討し、今すでに売主のテーブルの上に乗っている競合相手の提示価格を推定せねばならない。

3. 財務魔術師のはなれ業－LBO

　最後に、買収した値段とまったく同じ値段で5年後に売却することにより巨額の利益を上げる、というLBOグループの手法について、やや非現実的だが分かり易い想定をおいて検討してみよう。

　Yグループは日本での本格投資を行なうにあたり、金融・財務のプロフェッショナルはもちろん、生産コストを極限まで下げることに長けたメーカー出身者や、最先端のマーケティングによる売上向上のノウハウを持ち合わせた専門家を採用した。Yグループの米国

でのＬＢＯ案件にいつもハイリスクの融資を提供するＺ銀行の東京支店とも信頼関係を築き、いつか日本初の大規模ＬＢＯを自らの手で、と虎視眈々と機会を探していた。Ａ社買収はその格好のターゲットとなった。

　Ｙ・Ｚ連合のＡ社事業分析結果は以下のとおりだと仮定する。

* Ａ社経営陣の追加投資200億円は意味がない。現有設備をだましだまし使った方が効率的である。
* 生産拠点は現有設備の償却がおわる4年後になくし、すべて海外委託生産に切り替えることにより、経営陣の想定している粗利率向上は達成できる。
* 売上は大手システムベンダー等と組んでのＯＥＭ的販売と小売はネット通販を特化することにより、経営陣想定並を達成する。在庫や売掛金のコントロールを強化し、運転資金の増加は見込まない。
* こうして5年後にはＡ社は製造設備も自前の営業部隊もほとんど持たない「商品企画型」の強力なブランド力と販売ルートをもった会社に生まれかわる。

　詳細な収支予想の修正はここでは割愛し、買収検討チームの結論として、現経営陣が計画する営業利益と同じ利益計画のまま、バランスシート側の改造だけで投資利益を産み出すスキームを考えることになったとする。

　買収資金調達、価格設定については以下の方針でＹ・Ｚは合意した。

* Ｙグループはリスクの高い投資故に高い期待収益率が必要。5年後にシェイプアップされたＡ社を他社に売却し、年率換算で最低30％の投資利回りを得たい。
* Ａ社が現状保有している余剰資産を買収後即売却して、それを買収資金調達額の削減に充てる。既存の借入金はそのままの条件で継続してもらう。

* Ｚ銀行は７％という高い金利を要求。その代わり４年後の土地売却まで元本返済は期待せず、資金繰り難に陥った場合は最高200億円まで追加融資に応じる。
* 但し、２年目以降の毎年の金利はＡ社のキャッシュフローで賄えるという見通しの立った資金繰り計画でなければならない。
* ＬＢＯ融資金額が全て返済されるまで配当は無し。毎年のキャッシュ残額は全て融資返済に充てる。

　Ｙ・Ｚ社の精鋭チームはこれらの諸前提を財務モデルに織り込み、さまざまな価格設定、融資額とファンド出資額の組み合わせをシミュレーションし、最終的な買収スキームを［表７－８］のとおり確定した。

表7-8　Ｙ・Ｚ連合ＬＢＯ資金調達スキーム

Ｙ・Ｚ連合ＬＢＯ資金調達スキーム

想定買収金額	2,100億円
資金調達	
対象会社余剰金	230億円
ＬＢＯ融資	1,650億円
ファンド出資金	220億円
計	2,100億円

（金利コスト　7.00％）

5年後売却金額	2,100億円
残存借入金返済 ＬＢＯ融資	1,253億円
ファンド回収額	847億円
年率換算投資利回り	30.9％

* 提示買収価格は2,100億円。ＹグループのファンドはＢ収金額の１０％強にあたる220億円を出資する。Ａ社の既存の資産売却

で230億円を捻出し、残り1,650億円をＺ銀行がＬＢＯ融資として提供する。
* 4年後に使い切った設備を廃棄して土地を更地にして520億円で売却し、借入金を圧縮する。
* 運転資金の管理を強化し、売上が伸びても運転資金の増加は見込まない。
* 5年目の会社売却においては買収金額と全く同じ2,100億円を想定する。

　その結果、5年目に会社を売却し、残ったＬＢＯ融資残高1,253億円を全額返済した後ファンドの取り分として残る金額は847億円となる。
　220億円の投資が5年後に847億円、投資利回りは年率換算30.9％と、ファンドの目標を上回るリターンが得られる計算である。
　Ｚ銀行は年平均100億円以上の金利収入を5年間、総額600億円近くの金利収入を得る。
　買収から売却までの5年間の利益計画と資金繰り計画は［表7－9］のとおりである。1年目に退職給付の積み立て不足を一気に損失計上し、リストラを行なうので大きな赤字がでて追加融資が必要になる。土地の売却までは金利負担が重く赤字が続くが設備投資や運転資金の増加が無いため資金繰りはプラスとなる。
　2,100億円で買収した会社を5年後に同じ2,100億円で売却して、なおかつ投資ファンドと融資銀行に巨額の富をもたらす。これがＬＢＯの魔術のような手法である。そして、標準型の買収モデルで算定した1,870億円という「適正」価格を230億円上回る買収価格提案が実際に可能となる。
　この事例はあくまでＬＢＯらしさを強調するために前提を置いているので本当にそのようなことができるのか、という意味で鵜呑みにしていただいては困る。特に、設備も含み益も無くなったＡ社が本当に同じ値段で売れるのか、それだけの安定収益基盤を5年間

表7-9 LBO後の利益・資金繰り計画

[利益計画] (単位:億円)

	2000年度	2001年度	2002年度	2003年度	2004年度	2005年度
営業利益	70	61	62	91	142	161
借入金利払い		129	141	141	140	104
経常利益		−69	−79	−50	2	57
特別利益(損失)		−200	0	0	500	0
法人税等		0	0	0	42	23
税引後利益		−269	−79	−50	460	34

[資金繰り] (単位:億円)

	2000年度	2001年度	2002年度	2003年度	2004年度	2005年度
税引後利益		−269	−79	−50	460	34
+減価償却		100	80	60	40	0
-設備投資		0	0	0	0	0
+固定資産減少					20	
−運転資金増加		0	0	0	0	0
=返済原資		−169	1	10	520	34
LBO融資残高	1,650	1,819	1,818	1,808	1,288	1,253

で築けるのか、は疑う余地がある。現実の世界では、LBOグループはA社のような将来キャッシュフローの不安定な事業には通常手を出さない。Z銀行も営業利益で金利払いすらできないような収支計画で1,650億円もの融資をするとは常識では考えにくい。とはいえLBOの極意の部分、すなわち、

① キャッシュフロー創出を最大にすべく設備投資を抑え、売却できる資産を買収後速やかに売却してしまう。
② 借入金を限界まで増やして利払い金額を増やし、節税する。本事例ではそれに加えて一時費用の損失200億円についても損失が5年間繰越可能な税制を利用し、4年後の土地売却益の課税を減らすことに使っている。
③ レバレッジをかけて買収資金の90％を借入金に頼るという過小資本の負債・資本構成にすることによって、リスクを取ったフ

ァンド投資家に大きなリターンをもたらしている。

という諸点が実際に機能するイメージはつかんでもらえたのではなかろうか。

第八章 「良い」M＆Aと会社経営

　以上、M＆A実務の現場でどのように価格算定や駆け引きが行なわれるのか、の雰囲気を紹介してみた。最後のケース、ＬＢＯ投資家グループとリスク融資を提供する銀行に巨額の利益がもたらされ得る、という想定には、賛否両論があろう。設備投資もせずに生産を海外に移し、税金もできるだけ払わぬように・・・という姿勢の経営が、巨額の富に見合う付加価値を生んだのだろうか。うまくいけば金融関係者だけが大儲け、いかなければ倒産して従業員が路頭に迷う、そのようなM＆Aがどんどん行われていいものであろうか。
　1980年代後半、ＬＢＯグループによる強引な買収が盛んに行われた米国においても同じような議論が戦わされていた。最後のまとめとして、資本主義、市場原理、企業価値創造、といった、「共通言語」の枠組みの中でM＆A活動がどのような役割を果たしているのか、果たし得るのか、につき以下に検討してゆこう。

1. 良いM＆Aとは

Win-Winの原則

　これまでに述べてきた事から明らかなように、社会全体にとってプラスになる、付加価値を生むM＆Aと、そうでないM＆Aがある。社会のパイそのものを大きくするM＆Aと大きさの変わらないパイの切り方を変えるだけのM＆Aがある、といってもいい。二重投資を避け、事業の効率性をあげ、新たな社会革新のエネルギーを活性化するようなM＆Aは、「良い」M＆Aだということができる。

　M＆Aにおける会社価値算定の特徴は、経営支配権に対する価値として、コントロール・プレミアムが上乗せされることにある。そのプレミアムの実体のうち最も重要な部分は、

「対象会社の将来キャッシュフローの見通しを自らの手で描きなおすことができる」

という点に求められる。現状の延長の収支計画と、買収後に種々の施策を講じた計画との両方を作って買収価格算定モデルに数字をいれることによって、企業価値に大きな差がでてくることは、事例を通じて示したとおりである。この差が新たに創造される企業価値であり、プレミアムを支払う根拠であり、M＆Aが売り手にとっても買い手にとってもメリットのある「Win-Win」取引となり得る理由にほかならない。

株主の利益と社員の利益

「Win-WinのM＆Aと言ってもそれは売り手株主と買い手株主との間の話で、売買の対象となる会社やその社員は資本家に搾取される被害者ではないか」

「買収されると合理主義的な経営者が乗り込んで来て、従業員の大

量解雇や工場閉鎖を実施する。株主だけが大儲けをして、そのしわ寄せが失業や地域コミュニティの沈滞という形で労働者などに押しつけられるのは不当である。」
という主張にももっともな面はある。先のＬＢＯ投資家による買収などはそのように受け取られる典型ケースかもしれない。

　確かに目先の利益だけを考えて株式を売り買いするのが投資家株主の性（さが）である。そういう「とにかくなんでもいいから儲けさせて」以外に主義主張のない株主のいいなりになることは、社会全体のバランスの良い発展と両立しない局面がありうる。1980年代、日本の製造業の国際競争力が米国にとり脅威となった時期、米国では「日本企業のように長期安定的な経営を実践できず、株主の短期的な利益追求に応え続けねばならない米国企業は国際競争力を落とす」という議論が活発になされていた。

　しかし一方で、株主利益の極大化に経営の目標を集中し、贅肉を落として収益力の高い会社を作ろうという経営者達の努力を通じて、90年代に入って国際的競争力をつけた米国の会社も数多くある。IT、インターネットのような新分野の産業革新もいちはやく成し遂げた。これは株主至上主義がもたらす、厳しいがたくましい合理主義的社会観の結果だといえよう。

　「企業価値を高める」、「会社の利益を守る」、という現経営陣の義務は、米国においては「株主の利益を極大化する」という義務とイコールである。冒頭で述べたとおり、日本語の「企業価値」に対応する英語は通常「Shareholders' Value(株主価値)」なのである。従って、現状の株価にプレミアムを乗せた値段で買収提案がなされた場合、それを経営陣が拒絶すると、逆に株主から「せっかくの儲けのチャンスを経営陣に奪われた」と訴訟を起こされる危険を背負ってしまう。

　一方、「会社の利益＝株主の利益」と単純に割り切らない発想の方が多くの日本人にとって受け入れやすい。会社は取引先、融資金融機関、従業員、お客様、地域コミュニティ等々さまざまな関係当事者から成り立っており、株主だけの利益を考えていては真に世の

中に貢献する企業社会は築けない。

　このような立場は総論としては説得力がある。実際、米国でも真の優良企業といわれる会社は皆、株主以外の利害当事者（ステーク・ホルダー、Stake Holder）に対するきめこまかい配慮を行っている。会社に関わる全ての当事者の利益をバランスさせることが株主利益の極大化につながる、という信念で会社を経営し、そのとおりの実績をあげているわけである。従業員や取引先の利益を守りつつも、社会革新のエネルギーを産み出す株式市場を作ることができるか、が今日本に問われている。経済の右肩上がりの時代が終ったとたんに方向感覚を失ったかのように見える日本の多くの会社の企業論理は、その答えを世界が納得する形で出しているとは言いがたいのが現状の姿ではなかろうか。

「場合によっては株主の利益を損なってでも社員や取引先の利益を守らねばならない」
という会社理念はあっても構わないが、そうであれば利害当事者だけで株式を保有し、
「株式投資価値の増大を貪欲に追求する株主は来ないで下さい」
と明言するのが筋であろう。つまり株式を上場・公開して不特定多数から資金を集め、会社に値段をつけて市場で自由に売り買いさせるべきではない。

株主利益と社員利益を一致させる方法　― ESOP LBO、MBO

　米国の従業員は被害者意識の中で不平不満を言うばかりではない。その代表的なケースとしてユナイテッド航空の事例をあげておこう。この会社は80年代の終わりから90年代の初めにかけて、株価が低迷し企業買収の脅威にさらされていた。会社経営陣は会社の利益を増やして株価を引き上げるべく、大幅なコスト削減策を実行しようとした。このような環境下、ユナイテッド航空の従業員は結束し、自分達の将来の退職金などを使って会社の過半数の株式を買い取るという決断をした。ESOP（従業員持ち株プラン）LBOと呼ばれる買収スキームである。

将来の退職金積み立てだけで会社を買収できるわけではないので、当然外部からの借り入れ金で株の買取り資金を調達しなければならない。借金の返済を行ないながら従業員の給料と生活の安定を確保するためには、社員が一丸となって収益の向上を是が非でも達成せねばならない。自分達の職場を自分たちで守る為に株主に多額の買い取り代金を支払い、借金づけになって倒産リスクを背負う、経営改革は外から突然やってくる買収者や安易なリストラによって利益をひねり出そうとする経営者によってでなく社員自らの手で行なう・・・資本主義のルールの中で正々堂々と渡り合う姿は潔いと私が感心している事例である。

　「MBO　（＝マネージメント・バイアウト、Management Buy-Out）」という手法もこれとよく似ている。これは会社の経営陣が主導して行なうもので、従業員が中心となって行なったユナイテッド航空のものと若干の違いはあるが、借金をして会社の株式を自ら買い取る、という点では同じ発想であり、その手法は先に説明したLBOと基本的に変わらない。買収のスキームを簡単に図解すると、[図表8－1]のとおりとなる。

　ＭＢＯは1980年代の後半以降に主に英国で活発に行われている。この手法は、サッチャー政権の下、産業再活性化の動きの中で生まれてきた。官僚的・保守的になりがちな大企業において、その子会社や事業部門の経営陣達が親からの独立を図る、それを投資家グループが資金的・人材的にサポートするという構図である。親会社からの独立という発想は現在の日本の企業風土になじみやすいところがあり、現在の経営陣がそのまま経営し続けるということであれば、外部からわけのわからない経営者が突如送りこまれてくる通常の企業買収に比べ、従業員の支持と協力も得られやすい。そのような理由から、外資系の投資ファンドの中にはＭＢＯ投資に積極的なところが多く、日本でもこのところいくつかのＭＢＯが成立している。

　会社・事業の持っている能力を最大限に引き出し、企業価値を創

図表8-1 MBO (Management Buy-Out)のスキーム図

①経営陣がS社をP社から独立させて買収したい旨Fに相談

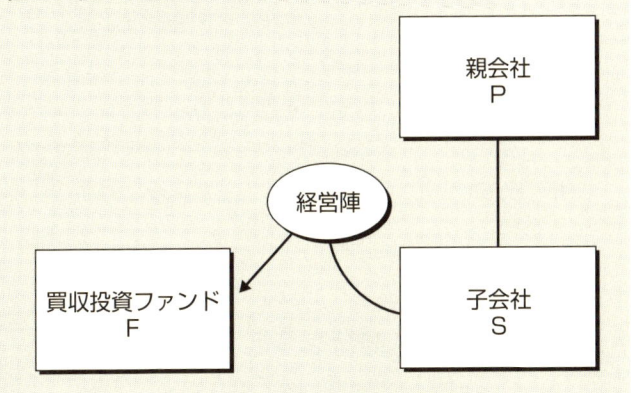

②買収用の新会社Nを作り、出資と融資で買収資金を調達

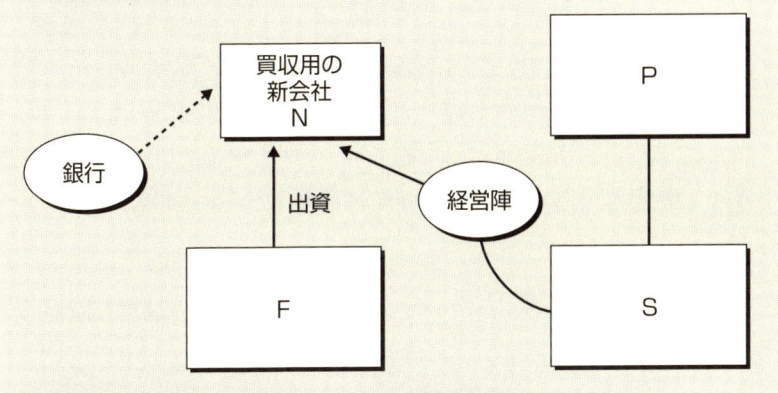

③NがP社に買収代金を支払ってS社株式を買取り、親となる

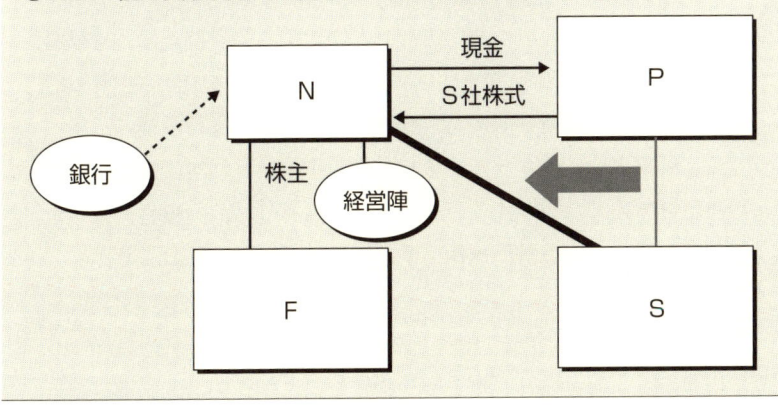

造するのが経営という仕事である。それをできない、ないしは他にもっとやりたいことがあるから、その対象会社・事業は切り捨てられ、売りに出される。この冷静な経営判断を下すことは経営者の株主に対する義務である。

　売却対象となった会社・事業にとっても、そのような親に怨み言をいいながらいつまでもしがみつくよりも別のオーナーを見つけた方が自分達の為になる、とわりきることができれば、新たな活力も生まれてくるのではないだろうか。

2.良いM＆Aを行なうには

　M＆Aはこのように、社会、経済を効率化し活性化する役割を果たすことができる。しかしながら実際には、M＆Aを行なった結果が思わしくなく、売り手株主だけが現金をもらって喜び、買い手もその買収対象会社社員も不幸になる、という場合も多い。良いはずのM＆Aが良い結果のM＆Aにならないことが多いのはなぜだろうか。買収計画の進め方と交渉、そして買収後の経営体制の作り方にそのカギがある。

良いM＆A「交渉」と良いM＆A－外部専門家の役割と限界

　良いM＆Aを行なうにあたって、優秀な外部専門家チームが果たす役割は確かに大きい。高い手数料を支払ってまで一流のアドバイザーを雇う必要がどこにあるのか、という声を時々聞くが、外部専門家達が、買収当事者の社内には通常備わっていないスキルセットを持っているのは確かである。優秀な外部専門家は買収交渉において決定的な違いをもたらし、それが買収後の会社経営の成否に大きな影響を与える。フィナンシャル・アドバイザー、弁護士、会計士および税理士という専門家毎にその本業分野を挙げてみよう。

フィナンシャル・アドバイザー
　投資銀行、証券会社、銀行等が務めることが多い。大手会計事務

所も同様の機能を持っている。

　彼らにとって一番の腕の見せ所は「企業価値」の算定とその交渉である。経営の共通言語を使い、同じ価格算定方式を共有していても、会社の値段は買い手によって変化する。どの会社を類似会社に選んで倍率を参照するかによっても変わるし、将来収支見通しの立て方によっても変わる。ディスカウントレートによっても、買い手の資金調達のやりかたによっても変わる。そして何よりも、売り手がどういう事情で売りたいのか、買い手はどんな会社や投資家がいてお互い競り合う状況にあるのかによって、最終的な交渉の妥結点は変化する。会社の「適正価格」とはしょせんそのようなものである。だからこそ経験豊富な専門家がアドバイザーにつくことが必要とされる。売り手と買い手が出会うのが市場なのだから、市場の勢いや競争状況についてはその市場を皮膚感覚として知っている人こそが的確な判断を下すことができる。

　算定された価格に「適正だ」とお墨付きをつけるために最も重要な視点は、
「他のあらゆる選択肢を検討した結果、この取引の成立が株主にとって妥当なものだといえる」
ということであろう。適正かつベストな価格を引き出すために必要なのは
「相手側の事情、考え方を探り出す」
「他の選択肢を検討し、そこから得られる投資価値と比較する」
「取引が成立しないと相手にとって困るような選択肢をちらつかせる」
というような作業である。

　典型的には、売り手のアドバイザーであれば多くの買い手候補を引きつけて競わせる、買い手のアドバイザーであれば売り手がどういう他の選択肢を持っているかを分析する能力だといえる。

　これらの価格交渉能力は、情報力、経験の蓄積、株式市場での投資家的な相場感覚、等に裏打ちされるもので、やはり「餅は餅屋」の世界ではないだろうか。

それ以外に、フィナンシャルアドバイザーが買収資金調達や支払いの方法について検討し、実際のアレンジを行なうこと等はいうまでもない。

法律事務所
　経験豊富なM&A弁護士、法律事務所は「良い買収交渉」にあたり、大きく以下の2つの役割を果たす。

① 対象会社のデュー・ディリジェンス（法的監査）を行ない、隠れた債務や不測の損害や費用が買収後に発生しそうな分野を洗い出す。
② 買収契約調印、対外発表から買収代金の支払いと全ての権利義務の移転（Closing）へと至る交渉の流れの中で
＊買収の前提として開示された資料に嘘偽りがあった場合
＊①に想定したリスクが現実化した場合
＊経済環境等事情が大きく変化してしまった場合
等の事態からどうやって身を守るか、相手に逃げられないようにするか、を契約書の内容にもれなく織り込む。

　当事者同士が大筋合意したと思っていてもいざ文書にしてみるといろいろと詰められていない問題があることに気づく。全てのありうる事態を想定し、それらについて、譲れるところをどう譲り、代わりにどこでは譲歩しないか、といった大局的観点からの判断を加えて交渉を行ない、合意点を見出す。これまた百戦錬磨のM&A弁護士にしかできない「技」の領域である。逆に言えば、そういう弁護士の支援無しに交渉を行ない契約を結ぶと、不測の重荷を買収後に背負わされたりしかねない。

税理士・会計士事務所
　こちらも、M&A取引の豊富な経験を有する専門家ならではの付加価値の大きな分野がある。通常会計事務所というと決算の監査を

してくれる監査法人を思い浮かべられるだろうが、M&Aにおける会計事務所の役割は若干異なる。監査というのは会計上の規則通りに数字が作られているかを確認する作業だが、M&Aにおいては規則通りであるが故に反映されてこない企業の実態部分に調査が及ぶ。私の理解するところの会計事務所・税理士の本領発揮分野は以下の2点に求められる。

① デュー・ディリジェンス：対象会社の価格算定のベースとなる数字を検証する。第六章で検討したとおり、価格算定における重要な2つの要素は
  ＊収支計画のスタート台としての足元の実績数字に水増しや損失先送りが含まれていない事を確認する
  ＊ネット・デットの調整に相当する金額を資産・負債の時価ベースで、バランスシートに反映されていないものまで網羅して算出する
  であり、ここには包括的な会計知識を総動員して、対象会社の真の姿をあぶりだす必要がある。

② 税務プラニング：企業価値がキャッシュフローとして手元に残るカネの現在価値である以上、当然それは支払うべき税金を差し引いた後のものとなる。また、買収取引そのものからもさまざまな税金が発生する。これらを取引全体の立場から検討し、取引の形態や買収価格の各資産への振り分け等々により支払う税金をどう合法的に節約できるかを提案する。

専門家の仕事と当事者の仕事

これですべてを網羅しているわけでは決してない。しかし、これだけでも全ての専門知識を社内で全て取り揃えるのに無理があることは明らかだろう。

むしろ買収当事者はそういった分野は専門家に任せて、本来やるべき中心部分の仕事、すなわち買収後の事業シナリオを綿密に作成

し、収支計画を作り、必要な経営資源を取り揃える、に集中すべきである。これらの仕事は当事者にしかできない。もちろん経営コンサルタント等の外部専門家は頼りになり得る。それでも、外部者は所詮外部者、事業運営の現場的問題にまで目は届かないし、収支計画の妥当性や実行可能性に責任を持てる立場ではない。

　豪華な外部専門家チームに高額の手数料を支払って、「良いM＆A交渉」はできるかもしれないが「良いM＆A」はできない。まさに
「仏作って魂いれず」
のような買収になってしまう。

良いはずのM＆Aと良い結果のM＆Aの差

　シナジー効果や戦略的意義を強調して、買い手側がバラ色の収支計画を描くこと自体は簡単である。その計画に基づいて現在価値を算定すれば、思い切った買収価格提示ができる。そして魅力的価格さえ提示できれば交渉は有利にすすめられる。これこそが「良いM＆A」なのだろうか。

　そうやって行なった企業買収のうち、収支計画通りその後の経営ができるケースは少ない。収支見通しが甘すぎたり、買収前には見えていなかった「地雷」が爆発してコストが増えたりして、買収後の会社経営に四苦八苦することのほうがむしろ通常である。

「良いはず」のM＆Aを本当に「良い結果の」M＆Aとするためには何が重要なのか。
私の経験から言えることは以下のとおりである。
　まず、「これはあぶない」とすぐ分かる企業買収がある。
　それは企業買収の決断をした経営陣と、実際に買収後の会社運営をするメンバーとの意思疎通が十分でない場合である。
　M＆A交渉は秘密裏に行なう必要があるので、通常トップ経営陣が陣頭指揮をとる。が、彼ら自身が対象会社の事業運営について現場知識を持っていない場合、どうしても将来見通しが甘くかつ具体性のないまま交渉に入り、価格が決まってしまう。契約合意に達し、

対外発表がなされ、いよいよ現場実戦チームが組成される。アドバイザーである投資銀行等がチームのメンバーにここまでの経緯などを説明するが、価格決定の根拠となる収支計画を見て、
「おいおい、誰がこんな無責任な計画たてたんだよ」
というあきれた、ないしはしらけたムードが漂うことがある。さらに、
「トップには我々の及び知らないビジョンや戦略があるのでしょうが、正直言ってなぜうちの会社が今この買収をしなければならないのか理解しきれません。アドバイザーの皆さんは社長からどういう話を聞いているのか教えてください」
と聞かれることもある。こういうM&Aはたいてい後々まで苦労する。

　何度も繰り返すが、プレミアム付の「適正」買収価格は買い手の描く将来収支計画とその達成へのコミットメントに依って立つのである。

　その収支計画に魂が入っていないとしたら、これは致命的な問題になる。投資銀行等のアドバイザーはそれなりに調査をし、他の事例等の経験に基づき「外部者」としての収支予想のシミュレーションを行なうが、それ以上を期待すべきではない。彼らの作る収支計画をうのみにして、「お任せ」の価格評価で買収を決定してしまうと前述のような事態に陥りやすい。

良いM&Aを行なうための体制

　結果的にも満足のいくM&Aを行なうための基本は、
「買収交渉は、買収後にその会社の代表権をもって経営に携わる人自身が行なう。交渉の前提となる対象会社の実態調査のチームもその人の人選で行なう」
というのが私の持論である。その担当責任者の報酬やボーナスも価格決定の前提となる収支計画の達成度とリンクして決められればなお良い。そうすることによって、買収プロジェクトチームは対象会社の問題点、改善計画、そのために必要な人材、資金、等々につい

て綿密に調査・検討を行ない、足が地についた収支計画を策定することが期待できる。

ウェットな日本の組織特有の事情

　外国の企業、とりわけ米国企業の場合はトップ自身が買収交渉をして意思決定した後でも買収後の経営体制作りが間に合うし、通常それで問題はない。その理由は一言でいうと、
「組織の作り方そのものがウェットでないから」
ということだと私は考えている。終身雇用というものが前提とされず、報酬とやりがいに応じてヘッドハントされて会社を転々と移ることが日常的な風土では、組織の作り方も交換可能な部品の集合体のようになる。ある日突然誰が辞めてもなんとかなるようにできているのである。それはそのポジションの補充が容易であるということでもあり、その下につく部下達にも心の準備ができている、ということにつながる。突然知らない会社に買収され、新しい経営陣が乗り込んで来ても、それ自体にアレルギー的反応は示さない。

　これに比べ、日本の組織はより複雑に、まさに有機体として作られているように感じられる。人材の流動化は最近急激に進んでいるとはいうものの、どこへいっても即日機能しはじめるような「経営のプロフェッショナル」といわれる人材層は貧弱である。たとえ米国的な意味での経営のプロがいたとしても、日本の伝統的な会社の中に入っていってすぐに社員に受け入れられリーダーとして認められる為には、相当の人格者であることが要求される。
「今日から私がボスだ。ボスの方針はこうで、皆それに従うように。意見や提案は歓迎するが決めるのは私だ」
と演説すると米国の社員は当然、という顔で話を聞く。しかし日本だと、
「会社の中身を何も知らないでよく言うよ。しばらくお手並み拝見だな」
と冷やかに受け取るサラリーマン社員が大半であろう。

　つまり、日本の会社はバラして分解して、必要な部品を交換して

もとのとおり組み立て直すとすぐに動き出す機械、というよりも生身の生き物に近い。安易に臓器移植して治そうとしても予想もしない箇所に不調が生じて全体のバランスを崩す危険性が高い。このように私はイメージしている。
　日本の企業を買収する際にその担当責任とチーム構成をしっかり初期段階から作っておく必要を感じるのはこのような理由による。調査・交渉段階から当事者として参画すれば、対象会社の風土を理解したり個人的信頼関係を醸成する機会ができる。買収が発表されて動揺しがちな対象会社の社員に対してタイムリーで的確なコミュニケーションを図ることができる。生身の生き物に近いということは日本の会社組織の弱みではなく強みであるはずだ。この部分の重要性を認識できる、「人格者」の経営者が陣頭指揮をとることによって、結果的にも良いＭ＆Ａが実現できる。

3. つまるところ経営力の戦い

株主の期待に応える経営

　「中長期的なビジョンと目標を掲げ、そのための戦略をたて、それを具体的な収支計画に落とし込み、実行のために必要な経営資源を集め、人材に適正なインセンティブ報酬を与える・・・・」
　良いＭ＆Ａの為に必要なこれらのポイントは、そっくりそのまま通常の会社経営で行なうべきことである。それによって企業価値は向上し、株価が適正に保たれ、買収の対象となることにびくつく必要はなくなる。
　「投資価値としての企業価値は将来キャッシュフローの現在価値できまる」
　この基本原則を本当に理解し、その具体的算定方法として欧米で共有されている「経営の共通言語」を理解することによって、「市場」での価格形成のしかたが見えてくる。
　そうすればどういう指標をもって経営の舵取りをすれば企業価値

が高まるかについて、比較的明確で単純なポリシーが打ち出せるはずである。

　　　株価＝現在の利益・キャッシュフロー　x　倍率

　という公式から、株価を適正に保つために経営陣がなすべき事は足元の利益やキャッシュフローを高める事と、その倍率を競合他社より高く保つこと、その両者のバランスを適正に舵取りすることであることがわかる。倍率は、ＰＶ＝Ｃ／（ｒ－ｇ）という企業価値算定の基本公式から（ｒ－ｇ）の逆数であることはすでに示した。倍率を上げるためには将来利益・キャッシュフローの安定性を高め、成長性を高めることに尽きる。

　株主の観点から見た「経営の質」を高めるために、経営の本部が担うべき機能をより具体的に示すと、以下のようになる。

　経営企画という本社スタッフの役割は、会社の値段を決めるこれらの要素を、グローバルスタンダード的な発想と手法を踏まえて予算策定や中長期の事業計画という具体的な数字に落とし込み、その実行の進捗をモニターすることにある。

　人事という管理部門が果たすべき戦略的役割は、計画の実行に必要な人的資源配置を行ない、持っている力を最大限に発揮する環境とインセンティブを与え、必要な能力の開発を手助けすることである。

　財務部門は、経営の舵取り、進捗管理に必要なデータをタイムリーに収集して分析し、迅速な経営判断の材料を提供する。さらに、第三章で構造を説明し、第七章でレバレッジの構造を示したとおり、バランスシートの形を適正に保つことは会社価値に大きな影響を及ぼす。財務部門のスタッフは、事業キャッシュフローを効率よく産み出すことに貢献していない資産のために、コストの高い資金を使っていないかを絶えずチェックし改善する。

ＩＲ（Investor Relations、対投資家広報）とは、経営トップと経営企画スタッフが策定する、それらの計画や実行面での進捗を、株価形成を行なう市場参加者に対してわかりやすい形で伝えることがその責任となる。

　コーポレート・ガバナンス（Corporate Governance、企業統治）、という言葉がもてはやされているが、これは経営陣の活動を株主の目から常にチェックできる体制を備えているかという視点にほかならない。社外取締役を多数招き入れれば済むという形式的な問題ではない。

　このような、株主の期待に応えるという経営の観点からＭ＆Ａをとらえると、その本質は、「自分の会社のみならず他の会社についてまで経営上の課題とその解決策を考え、実行してしまう行為だ」ということができる。

　このような意味での経営力のある会社は、そうでない会社に比べて恐らくより多くの付加価値（キャッシュフロー）を産み出すシナリオを描くことができるだろう。そこにＭ＆Ａが起こり、対象会社がそもそも持っていながら生かしきれていなかった潜在能力が開花する。その差は「プレミアム」として一部対象会社の株主にも還元される。売り手株主にとっても、買い手にとっても、会社従業員にとってもプラス効果が大きい。

敵対的買収は悪なのか

　敵対的企業買収という言葉がある。英語ではHostile Takeover、会社乗っ取りとも訳され、あまり紳士的な響きはない。それに対抗する会社側の姿勢が「乗っ取りからの企業防衛」だと理解されている。経営陣の同意をとりつけずに一方的に買収しようとする行為であることから、「敵対的」と呼ばれ、その攻撃から会社を防衛するのは当然正しい、と受け取られがちである。

　経営陣の同意なしに会社を買収することができる、という感覚はあまり馴染みがないかもしれない。これは会社の持ち主が経営陣であるという「錯覚」に基づいている。会社の持ち主が株主であると

いう基本ルールに立ち帰れば、株主と直接株式売買を交渉すれば会社を買収できることがわかる。

これを可能にするのが TOB、株式公開買付という制度である。

敵対的 TOB とは

不特定多数の株主に対して取引所を通さずに新聞等で株式の買い付けを公告して応募者を募る方法が株式公開買付である。市場時価にプレミアムをつけた値段で一度に大量の株式を買い集めることができる。TOB とはテイクオーバー・ビッド（Take-Over Bid）の略で英国生まれの制度であり、米国ではテンダー・オファー（Tender Offer）という。

制度自体は敵対的でもなんでもなく、上場会社が会社の売却を決定した場合にも、不特定多数に分散してしまった株式を買い手に引き渡す為の制度として利用されている。そういう場合は売却対象会社がその株主に対して買い手の TOB に応じるよう呼びかける。

ただ、先に述べたとおり 1980 年代に企業乗っ取り屋（コーポレート・レイダー）達が経営陣に話をせずにいきなり TOB をかけて会社の支配権をとろうとする行為が盛んになり、会社側もそういった不意打ち的な買収の試みから経営の安定を守るために各種の防衛手段を編み出していった。TOB が成功すると大抵の場合その会社はバラバラに解体されて売却された。そのイメージから TOB は強欲な個人が善良な会社を乗っ取るための手法という受け取られ方が一般的である。

TOB には「友好的」なものと「敵対的」なものがある、とされている。TOB の制度上その区別ははっきりしている。TOB をかけられた会社はその TOB に対する「意見表明」ができ、その内容は「意見表明報告書」として提出・公表することが義務づけられている。取締役会がその TOB を支持しているかいないかを意見表明することにより「敵対的」か否かを判断される。そういう意味での「敵対的」TOB として、昨年 2 つの事例があった。ひとつは 2000 年 1 月のエム・エー・シー社（MAC）による昭栄への公開買付、も

う1つは2月のドイツ製薬会社ベーリンガー・インゲルハイムによるエスエス製薬への公開買付である。ベーリンガー社はこのTOBにより持ち株比率を16.8％から35.9％に引き上げ、会社の重要な意思決定についての拒否権を確保した。MACは全株式を対象にTOBを行ったが結局株式は6.5％しか集まらず、支配権の獲得は成らなかった。

実は難しい「敵対的」の定義

会社の経営支配をめぐる争いごとは昔から絶えない。TOBという比較的新しい制度以外にも、以下のような形態のものがある。

取締役会のクーデター：独裁的ワンマン型社長が、ある日突然役員会で「緊急動議」を出され、解任される。三越の岡田社長解任のような例である。

委任状争奪戦：株主総会が経営支配に参画する最大の機会は、会社の取締役の選任であろう。通常は現経営陣が任命した取締役候補がシャンシャンで総会承認を得るのだが、経営陣批判勢力が独自の候補をたてて株主総会に提示することがたまにある。その場合は両陣営が選挙さながらに株主に呼びかけ票を奪い合う。株主の多くは実際に株主総会に出席して投票せず投票を誰かに委任する旨の委任状を送付するので、それを奪い合うということで委任状争奪戦と呼ばれている。米国では頻繁に起こっており、委任状提出の勧誘を業務とする会社も存在しているが日本では委任状勧誘規則があまり柔軟にできていないこともあり、ほとんど実例がない。

グリーン・メール：これは市場等で株式を買い集めた者が、その高値での買い取りを会社側に要求する行為である。他の株主を差し置いて、自分達の株式のみを高値で売りつけようとする点で、株主としての正当な権利行使と異なる。株主総会で弱みをつかれるのを嫌がる経営陣が舞台裏で株式の買い取りを段取りしたりするので、

社会的にも批判が多い。「グリーン・メール」という言葉は英語で恐喝・ゆすりを意味する「ブラックメール（blackmail）」にドル札の緑色をかけた言葉で、保有株式をプレミアム付で買い戻すことを会社に要求する内容の文書をさす。そういう文書を出す人をグリーン・メーラーという。米国の有名な企業乗っ取り屋（コーポレート・レイダー、Corporate Raider）であるT・ブーン・ピケンズが小糸製作所の株式を28％ほど集めて株主総会で自分を取締役にすることを要求した事件が有名である。小糸側は、ピケンズ氏は企業価値を高めるべく会社の経営に参画することが目的ではなく、いやがらせをしてトヨタ等の大株主に自分の保有株式を高値で買い取らせることが目的の「グリーン・メーラー」だと論証し、裁判で勝訴した。

　動機が明らかに株式の高値買戻しであればグリーン・メールだが、株式をある程度買い集めた上で会社の取締役になり、自己の利益のために会社の信用や資産を利用するケースもある。日本の伝統的な「乗っ取り屋」といわれるグループの中には、会社から自分の保有する会社に融資をさせたりして会社から資金を吸い上げようとする人達もいる。会社側が困り果てて、「株を高値で引き取らせていただきますのでご退場ください」、となればグリーン・メーラーへと変身する。

　以上のとおり、会社の経営支配権の争奪戦にはさまざまな形態があるが、「敵対的」か否かの定義は実は難しい。会社株主の利益を損なうようなワンマン経営者を取締役会が多数決で更迭する場合は敵対的というより正義の味方のように見える。同様に、株主利益を損なうようなだらしない経営をしている会社にお目付け役を送りこもうと委任状争奪戦を展開する人達は、株主の敵、会社の敵と言われるのが正しいのかどうか疑問が残る。勝てば官軍よろしく多数決で勝ったほうが「正義」であるならば、「敵対的」TOBにおいても同じはずで、株主に支持されたかどうかの結果が出る前に反社会的イメージの先行しがちな「敵対的」というレッテルを貼るのはおか

しい。

　経営陣の同意をとりつけずにいきなり株主に買収提案をすることは確かに「一方的」ではある。が、果たして敵対的と呼ぶべきなのだろうか。

　第七章で見てきたA社の事例をとってみても、おかしな結論になりかねない。このケース、もし買収対象のA社には秘密にして親会社P社とX社が直接株式売買の交渉を行なえばこれはA社経営陣にとっては「敵対的」だということになる。しかしながらA社経営陣にとっては戦略的方向性の違うP社の下で十分なサポートを得られずに事業を続けるより、X社の傘下に入ることを歓迎するかもしれない。とすればP社とX社は友好的に交渉しており、X社とA社も敵対関係にない。強いていえばA社経営陣に事前に承認をとりつけずにX社との交渉に入ったP社がA社に対して「敵対的」関係にあるのであって、X社が悪者のレッテルを貼られる筋合いではない・・・・

　「敵対的」を形式的に整理しようとしてもできないし、そういう分類に重要な意味はない。これが私の見解である。敵対的買収が社会悪なのではなく、社会悪になるような買収のことを後づけで敵対的買収と呼ぶに過ぎない。それを表面的な形式にとらわれて杓子定規に分類したり、現経営陣は善であると決めてかかると物事の本質を見誤る危険がある。

　その観点からはむしろ買収の動機・目的に焦点をあてるべきであろう。
「会社の企業価値を損ねるような買収、自己の利益の為に他の株主を犠牲にすることを目的とする行為は非難され、阻止されてしかるべきだ」
ということになる。

　自己の利益の為に恐喝まがいのことをする「乗っ取り屋」や「グリーン・メーラー」はある程度わかりやすいが、
「企業価値を損ねるような買収」
となるとやはりケース・バイ・ケース、単純に割り切るのは難しい。

なぜなら現経営陣と買収を申し出た者のどちらが、より企業価値を損ねるのか、を判断するのはそうたやすい事ではないからである。

正攻法の企業防衛手段

　自分の資金で会社を100％買収する意思のある者が買収提案をしてきた場合、その買い手は会社の企業価値をさらに増大させる自信があると想定するのが自然だろう。さらに高い値段で将来売れるという勝算のない投資をわざわざ自己資金で行なうとは考えにくいからである。対する経営陣は、その場合何を根拠にその買収を阻止すべきだろうか。

「その買い手に経営を任せるよりも我々に任せたほうが企業価値は高まる」

という論法以外にはない。本音としては、長年苦労して階段をあがりやっと手に入れた経営陣の地位を守りたい、という言い分はあろう。しかしそれは現経営陣の「自己の利益」追求であり、公言するわけにはいかない。会社の経営者というのは株主から経営を委任されている立場であり、自己の利益の追求は商法でいう、「忠実義務」違反となる。

　上場・公開会社の経営陣がプレミアム付の買収提案に正々堂々と反対表明することは可能である。「株主価値は長期的には現経営陣の下でより高いものが実現できる、だから短期的なプレミアムに目を奪われて株を売り渡すことはお薦めしない」と主張することはむしろ経営陣の責務だといえる。株主価値の創造は安定した雇用関係、取引関係、金融機関関係があるからこそ達成できるのだという主張を、経営陣が具体的内容のある形で提示することによって、株主はより賢明な意思決定ができる。

　買収する側においてもその道理は同じようにあてはまる。対象会社の従業員、取引先、金融機関に対して自己の買収後の計画をきちんと説明し、支持を訴える努力をしなければならない。それは彼らが通常株主でもあるからであり、取引先関係等、維持しつづけたい無形の会社資産を買収によって損なうことは得策でないはずだから

である。

　株主至上主義の米国においてもこのような正攻法の買収阻止は実際に起こっている。1989年、出版のタイム社と映画会社のワーナーブラザースが合併交渉をしているところにパラマウント社が割り込み、プレミアム付の買収提案をタイム社に対して行った。タイム社はパラマウント社の提案を拒絶し、ワーナー社との合併を買収という形に切り替えてそのまま実行しようとした。パラマウント社の訴えに対し、裁判所は
「より中長期的な株主価値の増大をもたらす具体的な戦略プランが存在する状況下では、プレミアム付買収提案を却下するという経営判断は尊重されるべき」
という判断を下している。

　経営陣の頭越しに会社の買収を申し入れるという「一方的な」TOBは、経営力を公正・健全に戦わせる場を提供している。現経営陣と買収提案者のどちらがよりその会社の持つ潜在力を将来キャッシュフローの増加に結びつける手腕を持っているか、を投資家株主の前で争うことは社会・経済の活性化にとって有害な行為だとはいえないだろう。

そしてすべてのツケは国民に返ってくる

　あらゆる市場が国際化し、日本の株式市場における外国人投資家の比率は高まっている。株式持ち合いが解消され、「投資価値」のみを尺度とする市場参加者によって株価が決まる時代はもうそこまで来ている。銀行に頭を下げれば長期安定的な事業資金を供給してもらえる時代は終った。右肩上がりが当然という世の中でなくなったのだから当然である。そういう時代に新しい事業機会を見出し、リスクに賭ける起業家達を資金的に支えるのが株式市場の本来の役割である。資本主義経済の下での社会革新は、そういうバイタリティあふれる起業家達と、彼らにリスクをとって賭けてみようという投資家達によって生み出されてきた。M&Aは低成長時代の成長戦略として大いに力を発揮する。眠っていた経営資源を花開かせるこ

とのできる経営力のある会社がそうでない会社を買収することに、感情的に反発することは建設的ではない。事前に経営陣の同意を取り付けなかったから、と言下に買収提案を拒絶することは経営陣の義務でも権利でもない。

　経営者にとってはそういう環境で勝負しなければならない厳しい時代の幕開けである。その経営者を採点するのは投資家株主自身、つまり国民であるはずだ。1,200兆円とも1,400兆円とも言われる個人資産を有し、貿易黒字を蓄積しているはずの日本の富が国債や海外投資にばかり向かって日本の株式市場へ再投資されないはずはない。とすれば日本の投資家達（個人も機関投資家も含めて）が下す判断が、そのまま日本における資本主義が米国のものと同じかちがうかを判断することになる。その判断は日本がより成長性のある、活力に満ちた、公正で人と環境にやさしい社会を企業活動を通じてどう作っていけるのか、という形で最終的に国民ひとりひとりに返って来る。

エピローグ －会社の値段と資本主義の宿命

　最後に、私が日本と米国の経営思想の違い、資本主義という制度について考える契機となったエピソードをご紹介したい。私自身、何が正しいのか結論が出ていない問題である。

ある米国上場会社の栄光と凋落

　1994年から1998年にかけて、私はある米国の「優良」上場会社が成功の絶頂から転落してゆく過程を、その会社の内部で経験した。

　会社の名前はラバーメイド。1920年にオハイオ州の片田舎に創業された、プラスチック用品メーカーである。プラスチックのバケツやゴミ箱等を作っているなんの変哲もない会社で日本では全く馴染みがないが、米国ではラバーメイド製品のない家庭はないといわれ、ブランド認知率98％、市場シェア約60％という超優良会社だった。米国経済誌フォーチュンが毎年会社役員や企業アナリストへのアンケートに基づき発表する、「アメリカで最も賞賛される会社」ランキングのトップ10の常連で、93年、94年はコカ・コーラ、マイクロソフト等の巨人を押しのけ、第1位を獲得していた。

　過去47年間連続増収、5年間で売上・利益を倍増させるという公約を果たしつづけ、株価は当然美しい右肩上がり。社員の首切りはしたことがなく、本社のあるウースターという人口二万人の田舎町にはラバーメイドが資金負担をした立派な高校や図書館が随所にある。そんな「良きアメリカ」を代表するような会社だった。私にとっては、わがままで強引な米国の株主投資家と従業員、地域コミュニティの全てを満足させる経営があり得るということは、1つの

驚きだった。ラバーメイドの日本進出案件を担当した縁でアジア地域の事業開発担当として誘いを受けた時、私の関心の第一はこういう米国の優良会社の経営意思決定や役員会はどういう風に行なわれているのかをつぶさに見ることだった。そして実際に2年間、オハイオ州の本部に席を置き、毎日それを観察し、会議に参加する機会を得た。

　そこで実際に目にしたのは、「優良会社」の基盤がちょっとした舵取りミスからあれよあれよと崩れていくという米国会社の1つの現実だった。

　きっかけはプラスチック原材料価格の高騰である。「ついにラバーメイドの連続増益記録がストップ」と言われるのをなんとしても避けたい経営陣は、そのコスト上昇を吸収すべく経費合理化プロジェクトを慌てて立ち上げ、外部からその道の「プロ」を招聘する。過去何十年も和気あいあいと楽しく元気に働いていた会社、「プロ」の目から見れば絞れる贅肉部分がいくらでもある。当然の帰結としてラバーメイドの歴史上初の「従業員合理化」が実施される。今後の成長の源と期待されていた国際展開も、まだ先行投資段階だというのに厳しいコスト管理下におかれ、身動きがとれなくなった。こうして社内に窮屈感、閉塞感が立ち込めはじめると何が起こるか。やる気のある、問題意識の高い人材の離脱である。ヘッドハンティング会社はこういう状況には目ざとい。ラバーメイドブランドを支えてきた、商品開発やマーケティング分野の優秀な人間にはさまざまな優良有名企業から声がかかり、彼らも内部の行き詰まり感からどうしても興味をそそられてしまうことになる。人材流出が起こり、残った人達もかつての常勝ムードの勢いを失う。従業員にとっては、経営陣はウォール街の強欲投資家に媚びを売る経営をして自分達の地位と報酬を守ることしか考えないエゴイストに見えてくる‥‥そこから先は火を見るより明らかだった。フォーチュン誌でのランキングは94年の第1位から95年は第3位、そして96年にはトップ10外へと姿を消した。会社の株価は下降し、株主からの不満の声に対応するかのように経営陣は1999年、競合

他社からの吸収合併の申し出を受け入れ、事実上会社を売却することとなった。

　この一連の過程での経営陣の意思決定は、１つひとつを取ると間違っていたとは思えない。コスト構造の継続的改善、アジアからの低価格コピー製品に対抗するためのアジア進出、ラバーメイドブランドを国際展開するためのヨーロッパと日本へのM＆Aによる進出、増収増益の公約を守ろうという強い意志、・・・・しかしながら結果として経営陣は失格、と株式市場に評価された。長年の成長・成功神話の陰に隠れて表に出ていなかったさまざまな問題点が原料価格の高騰という外部要因をきっかけに一気に噴出したのは、時の経営陣にとっては不運だった部分もある。それらの課題のすべてを一度に、同時並行で解決しようとしたことが誤りだったのかもしれない。

　経営陣は株主に対する責務を果たす、つまり株価水準を保つために機関投資家やアナリストに指摘される課題に腰をすえて取り組まねばならない。のみならず四半期毎の決算数字発表のたびにその進捗を数字で示さねば信頼を失う。内部で喧喧諤諤の議論をする姿を横で見ていて、米国の経営者というのは大変な仕事だと実感した。

　経営陣の失敗をあえて挙げるとすれば、そういった逆境下において動揺しがちな従業員の気持ちをくみ取りながら施策を講じるというデリカシーに欠けた、という部分だったと私は感じている。
「会社のためを思って提案してもトップは聞く耳をもたない」
「自分達は高給をとり続けながら、これまで安い給料でがんばってきた、『仲間（Associate）』と呼んでいた従業員をあっさりクビにするなんて裏切り行為だ」
という声をよく聞いた。私の耳には入らない所で、
「あんな日本人や外国人をたくさん高給で連れてきて国際化などという儲からない分野に投資するのはバカげている。これまでラバーメイドを作り上げてきた我々を何だと思っているんだ。」
という従業員も恐らくいたに違いない。

　数字や論理的に美しい企業戦略づくりに追われ、アナリストやコ

ンサルティング会社のアドバイスを実直に実行しているうちに、ラバーメイドという組織そのものが長年かけて創りあげ、無意識のうち共有していたはずの価値観が壊れてしまった。そして一度壊れたものは二度と元には戻らなかった。私が米国人ないしはアングロサクソンの特色として感じた「物事を簡単に割りきって、てきぱき処理する」スタイルの弱点が露呈したということなのかもしれない。

　はっきりと目に見えてこない会社の価値を大切にしながら、目に見える結果を出し続ける・・・これが優良上場会社の経営陣に要求される、ハードルの高い資質である。

国民性の違いと言えるのか

　ラバーメイドでのこの経験談について、「別に米国だからというわけではなく、日本の会社でも同じことだ」という感想をもたれる読者もいると思う。ここ数年、日本の「優良会社」でも似たような出来事が起こっていると言われればそうかもしれない。それでも、日本の「優良会社」に対して無借金方針を改め、これまでの事業活動の結果として蓄積してきたキャッシュをすべて株主に配当せよ、とまでいう株主はそれほど多くない。そしてそういうがめついことを株主が言わないところがいかにも日本らしくてよい、というのが多くの日本人の率直な気持ちだろう。

　米国と日本の会社経営思想の差は、狩猟民族と農耕民族のメンタリティの差だ、という説明がある。肉食動物と草食動物、という区別もこれと似ている。

　「世の中はしょせん不確実性に満ちている。その中で、どうせ先になにが起こるかわからないならば、その場その場で考え、判断し、戦うしかない。」これが狩猟民族的発想で、その為に彼らは瞬発力を鍛える。

　農耕民族はそういった不確実性から身を守るために「貯え」を重視し、運命共同体を作ってお互いに助け合う。農耕的な風土では持久力や滅私奉公の精神が尊ばれる。

　学術的、歴史的裏付けのある議論かどうかは別にして、私にはす

んなりと受け入れやすい説明である。農耕民族として生きてきた日本人が遺伝子として脈々と受け継いできた考え方、感じ方というのはやはりあって然るべきだろう。これが「国民性」というものにほかならない。

　この日本人の国民性が会社経営における思想として表れてくるのは当然であろう。しかし一方、日本が資本主義や民主主義をとりいれて株式会社という制度のもとに近代の発展をとげてきたのも事実である。社会・経済発展の段階による差、欧米の後追いで同じことが起こる、という仮説も成り立つ。

　資本主義や民主主義という思想・体制は欧米で誕生した。日本が明治時代には欧州を、戦後においては米国を先例として、追いつき追い越せで吸収し同化してきた経済・社会の仕組みであり考え方である。とするならば、日本の経営「思想」なるものが、経済発展の段階に応じて欧米的な思想を吸収して絶え間なく変遷していくもの、と見ることもできる。

　事実、「欧米的」ないしは「米国的」な経営思想そのものも、時代とともに変遷している。

米国での株主支配の歴史

　米国において株主の発言力がずっと強かったわけではない、という事実はそれほど知られていない。

　1930年ごろから1960年代まで、米国は「所有と経営の分離」が進んでいた時代だといわれている。会社の実質的支配権がもともと会社の所有者であったはずの株主から経営者に移ったという考えが支持されていた。株主は単に配当や株の売却益を求めて投資に参加しているだけで、小口分散化された株主は株主総会でも有効にその支配権を行使することはできなかった。経営者は雇われの身分ではなく、自ら会社の命運をにぎる「支配者」として振る舞っていた。

　経営者による会社支配は、「他人(株主)の金を自分のものとして使う」習慣を産み出し、放漫経営の温床となった。その状況から再び株主が会社の支配権を取り戻したのは1960年代以降のことだ。

なぜ、どうやって取り戻したか。方法は大きく2つある。

1つはM&Aである。1960年代に、ずさんな経営をしている経営陣を放逐して自分が経営権をにぎることによって会社価値をあげることができると名乗りを挙げて次々と大型M&Aをしかける会社が登場した。いまや馴染みのない会社名だが、それらはITT、LTV、リットン・インダストリー等で、その経営者達は時代の寵児として一世を風靡した。

もう1つは機関投資家達による議決権行使、いわゆる「コーポレート・ガバナンス（企業統治）」思想の発達で、1980年代以降に特に発言権を強め、今日に至っている。

それまで社員や公務員の退職年金基金の運用者に代表される機関投資家は、経営に対する発言は行なわず、経営者が気に入らなければその株式を売却して他に乗り換えるという方法（これをウォールストリート・ルールという）をとっていた。しかしながら、このような機関投資家が運用する資金額がどんどん増え、株式市場での価格形成に大きな影響を与えるようになってきた。つまり、経営が気に入らないからと市場でその会社の株式を売却しようにも、自分が売ることによって株価がますます下がり、抜けるに抜けられないという状況が生まれた。とすれば機関投資家としては投資価値を守るために経営陣更迭を含め、経営に対して発言せざるを得なくなったのである。

60年代米国と現代日本の共通性

この、1960年代以降の米国でのできごとは最近の日本の状況に似てはいないだろうか。そしてそれは経済成長の段階に応じてどの国も同じような軌跡をたどる、という風にも理解できるのではなかろうか。

米国は第二次大戦後に経済が急成長した。日本では1960年代がその時期にあたる。経済成長は当然多くの会社に新たな事業拡大のチャンスを与えた。そのような時期には会社は産み出した利益を配当せずに再投資に回すのが正しい経営判断であり、株主も皆納得

して右肩上がりの会社成長と株価成長を謳歌した。そうこうするうちに配当しないことが通常のこととなり、経営陣は成長性のない分野へ非効率な投資を行ない、いざという時のために社内にキャッシュを留保したくなる。経済が成長していて株価も継続的に上昇している限り株主もうるさくは言わない‥‥一方高度経済成長は国民ひとりひとりの富の蓄積も促進する。豊かな老後を約束するよう、国民はそれらを退職年金基金に積み立てたり、自ら投資信託を積極的に購入したりする。これが機関投資家のパワーを増進し、株式市場の「民主化」を促進する。

経営陣が株主の存在を意識しない状態に慣れてしまい傲慢になるタイミングと、株式市場の民主化が進む時期が一致したところで、株主は反乱を起こす。

米国でかつて起こったことが、経済成長期のずれた日本で今起こりつつあるとしても不思議ではない。その変化のスピードにおいて日本は米国よりも「農耕民族的」かもしれない。とはいえ、老後の大切な資金を国や金融機関が大切に運用して増やしてくれているのかにつき疑問が生まれている。終身雇用を約束し、だからこそ低めの給料でも忠誠心をもって働いていたはずの社員を会社があっさりと「整理」しはじめる。株式持ち合いといった形での株主支配権の骨抜き状態も修正されつつある。この日本の現在が、株式市場にとっては米国の1960年代状態だという印象を私は持っている。

ラバーメイドという会社は米国会社経営の歴史の中で異端児だったのかもしれない。競争の激しい業界でなかったことが幸いして、旧き良きアメリカの体質を残したまま1990年代まで生き残った会社。ウォール街の荒波に飲まれることなくマイペースでやってきた会社が90年代に入って注目を浴び、フォーチュン誌で取り上げられた。今振り返るとそれが皮肉にも稀少品種の動物の絶滅を促してしまったような気がする。

ラバーメイドが掲げていた「高い目標を敢えて設定し、チームワークでこれを達成しつづける」という姿勢は日本の多くの会社に共

通している。これまでの日本の株主はそういう経営の一貫性を大切にし、経営陣のやり方に意見することはなかった。これから先米国と同じような、M&Aと機関投資家の発言権行使という「株主経営支配の強化」の道筋をたどるのか、異なる展開になるのかは、まさに日本の農耕民族的国民性が問われるところである。

あとがき

　私が、「企業価値」という概念とはじめて出会ったのは今から15年前のことだった。ロー・スクールに留学していた1985年、米国では第４次M＆Aブームの最中で、豊富な資金を調達した投資家達が会社経営陣の頭越しに株主に直接株式の買取りと会社経営権取得を申し入れる「敵対的TOB」や「ＬＢＯ」が盛んに行われていた。ロー・スクールという、法律を学ぶ場所で私はそういう敵対的企業買収から身を守る為に会社経営陣は何ができるか、何をしてはならないか、を学んだ。

「会社は誰のものか」と質問されれば即座に「株主のもの」と答えるのが米国流資本主義の基本である。では会社の株式は誰が保有しているのだろうか。米国においては1980年代すでに株式保有の「機関化」が進んでおり、国民の年金・退職金資産や余資は投資信託のような形でプロの機関投資家によって大半が保有・運用されていた。つまり、一般国民が機関投資家を通じて会社を「所有」している、という図式である。これらの機関投資家が保有株式を少しでも高く売却して運用成績を上げようと、敵対的企業買収の提案を受け入れることは極めて当たり前の行動とされていた。それによって個人の大切な老後の年金資産が増えるわけだから、米国国民も反対する筋合いのものではない、というわけである。そういう状況下での会社経営陣の義務は、会社の価値を上げること、つまり株価を上げることというシンプルで明確な数値目標の達成となる。敵対的だろうと何だろうと、会社を高い値段で買収したいという者が現われた時、もし買収されるのがいやなら、買収提案者よりも高い株価を自らの経営手腕で実現する以外に方法はない。それができないのなら、買収提案を受け入れるよう株主に勧めることが「正しい」経営

判断とされる。その見返りとして米国の会社経営者は時として巨額の年俸と、株価に連動したボーナスを受け取る。他社からの買収提案を経営陣が自らのプライドや意地故に拒絶しないように、とゴールデン・パラシュート（黄金の落下傘）と呼ばれる巨額の退職金まで株主が約束してあげることすら日常茶飯であった。

　就職してまだ間もなかった私は、米国的な意味での「世の中のしくみ」をこのように理解した。

　当時日本はバブル期にさしかかろうという順風満帆な時代、「ジャパン・アズ・ナンバーワン」などといわれて日本の長期的視点に立つ経営が米国の短期的な収益目標に振り回される経営と対比され、日本経済の強さの秘訣として大学でも注目され研究されていた。企業価値を極大化するという大義名分の下に、実際には短期的な株価の動向に経営が振り回されるような米国の企業活動スタイルはいかにも安定性がなく、日本にはきっと馴染まないだろうというのが当時の私の率直な感想であった。そして論理的には単純明快で筋の通っている米国流と、理屈はうまく説明できないがなんとなくうまく行っているように見える日本流とを見比べて、日本は本当の意味での資本主義国家ではないのだ、と納得したことを記憶している。

　あれから15年が経ち、会社経営のありかたをめぐる日米の環境はすっかり様変わりした。短期的収益に振り回されていたはずの米国からインテルやマイクロソフトのような、次の時代を切り開くパワーを持った企業群が生まれ、ＩＴ革命といわれる産業構造の変革を促し、米国産業の国際競争力を復活させた。長期的視点に立って経営されていたはずの日本の多くの会社はバブル経済に浮かれた後の始末を先送りし、いまだに自己変革にもたついて長期的視点に立つ経営への自信を喪失しているように見受けられる。それらを尻目に躍進を続けるソニー、トヨタのような事業会社やオリックスのような金融機関、賛否はあるかもしれないがソフトバンクに代表される新興企業群は、いずれも「グローバル・スタンダード」に則った経営を標榜している。そしてこれらの発想や考え方の根っこには、

常に「企業価値＝株主価値の増大」を是とする資本主義の原点がある。

　私自身はロー・スクールでの前述の原体験により、その後一貫して「企業価値」と付き合う社会人生活を送ってきた。企業の買収、売却、合弁設立にアドバイザーという立場でかかわり、事業会社のスタッフとして事業開発、経営企画や、公開準備、IRというポジションを担当する機会にめぐまれた。そもそも論にいつも立ち返って原理原則から納得しなければ気合がはいらない、こういう私の性分が蓄積した経験や考えの1つの集大成が本書である。

　本書では、なるべく素朴で原理的な質問を掲げ、普通に読んで納得のいく説明をすることを心がけた。とはいっても読み返してみると、説明がシンプルかつ明快とはいえない部分も多々ある。欲張りすぎて投資銀行の実戦現場でしか触れることのないようなテーマにまで論点を広げすぎ、一般の人々には臨場感の沸かない話題に多くを割きすぎたかもしれない。それでも、この本が読者にとって新聞やニュースで見聞きする、企業がらみの出来事に少しでも親近感をもつきっかけとなれることを願っている。日本の資本主義や株式市場は国民ひとりひとりの良識と自覚によって支えられている。それはもちろん政治においても同じことである。

　私は日本という国が世界に誇るべきことは、いわゆるエリートではない「素朴な」国民の学習意欲、吸収意欲の強さだと常々思ってきた。幕末に、地方では下級武士のレベルも含めて海外の書物から多くを学び、実践していた。そしてこういう人達は恐らく江戸のエリート達よりずっと柔軟な思考を養い、自分の素朴な疑問に正面から向き合う習慣を持っていたのだろうと想像している。そういった層の裾野の広がりがあってこそ、明治維新という革命とその後の社会の近代化があれほど見事に成し遂げられた。このことを私は誇りに思い、海外の人達によく自慢する。

　資本主義や民主主義を投資家の観点からとらえ、株式市場を健全に育成する気概をもった、良識溢れる個人投資家層の裾野の広がり

こそが、今の日本に最も必要とされている。1,400兆円もの個人資産を持ってどんな社会を実現したいのか、持っている人達にしっかりと自覚してもらいたい。私はなんでも米国流が正しいとは思っていない。この本の内容が資本主義や米国流発想の本質の一端として「なるほど」と理解され、それを出発点に経営手法における日米の違いについての議論が建設的に行なわれ、強引に米国的手法をふりかざす一部の人々に対する最低限の護身ナイフのような形で役立つとするならば、それは私にとって至福の喜びである。

■関連用語集

——企業価値関連——

　企業価値という言葉は日本語独特の用語である。強いて定義すると「企業がその利害関係者に対して有している価値」というところか。米国でいう企業価値は「株主価値（Shareholders' Value）」とほぼ同義であり、以下株主価値という意味で説明する。
企業が事業活動を行なう目的は、法制度で認められた方法によって利潤をあげることにある。その利潤は仕入れ材料代、人件費、金利等全ての外部に対する支払を行なった残りとして株主が受け取る権利を有する。過去・現在・将来にわたってこの株主に帰属すべき価値の総額が株主価値としての企業価値となる。

継続事業価値（Going Concern Value）

　企業は単にその保有する資産の価値から外部に対する負債を差し引いた残額としての価値（純資産）以上の価値がある。それは継続して事業を行なっているが故に生まれてくる価値で、この価値は将来にわたりその企業が生み出す利益・キャッシュの現在価値として算定される。一般に「企業価値」と呼ばれる価値はこの継続事業価値と同じと考えて差し支えない。

株式時価総額　（Market Capitalization, Market Value）

　株式を上場・公開している会社において、会社の価値は株式市場において株価を通じて以下のように算定される。
　　会社の価値＝株式時価総額＝株価 × 発行済み株式総数

企業総価値 (Enterprise Value、EV)

　　事業の継続価値としての企業価値を、株式時価総額から算出することができる。会社は通常外部から借入金を行なっている。金利を支払い、元本を返済しなければならないこのような負債を「有利子負債」と呼ぶが、この金額は株主に優先して返済される。したがって株式時価総額は有利子負債を企業価値から差し引いた価格となる。逆に余剰の現金等を会社が持っている場合は、その会社の株式時価総額は継続価値より大きくなる。

　　この関係を明らかにし、用語の混乱を避けるために、業界では「企業総価値」を以下のように定義して、一般的な「企業価値」や「株主価値」と区別している例があり、本書もそれに従った。

企業総価値＝株式時価総額 ＋ ネット・デット

ネット・デット (Net Debt)

　　上場会社間の企業総価値を比較する際には簡単な算出式として、

ネット・デット＝有利子負債 － 現金および現金同等物

が用いられる。会社四季報の定義によると、有利子負債（Interest-bearing Debt）は短期借入金（１年以内に返済期限の来る借入金、コマーシャルペーパー（CP）を含む）、長期借入金、社債（普通社債、転換社債、ワラント付社債）の合計額。現金同等物（Cash Equivalents）は、換金性の高い金融資産（預金や３ヶ月以内の短期投資）である。より詳細に実質のネット・デット金額を算出するには、現在価値算定のためのキャッシュフローに含まれていない金融収益を産む資産のすべて、さらには余剰資産（遊休不動産や保有目的が投資である株式等）を市場で売却した場合に手元に残るであろう現金額、等を算出して勘案する必要がある。

のれん代・営業権　（Goodwill）

　企業買収において、買収金額総額が、対象会社の純資産金額を上回る場合、その差額を指す言葉。継続価値としての企業価値が個々の資産・負債のネット金額である純資産より通常高くなるために発生するもので、実体はブランド、ノウハウ、取引先関係等、バランスシートにのっていない無形の営業資産の総額である。資産買収の場合は、買収する個々の資産に買収金額を時価で評価しなおし合計した金額と実際に支払った買収金額の差額となる。株式買収の場合は、買収して子会社になった対象会社を連結する際に、買収した株式の取得価格と買収対象会社の簿価純資産額の差額として発生する。インターネット関連の会社のような場合、事業資産はあまり保有しておらず、企業価値の大半はこのような無形の営業資産であるケースが多く、買収により多額ののれん代が発生する。

のれん代償却・営業権償却　（Amortization of Goodwill）

　買収により発生したのれん代、営業権は、会計処理上一定の期間にわたって費用化されるのが通常である。これは設備の減価償却同様に、買収対象会社の純資産額を越えて支払った金額は将来その買収会社があげる収益によって回収されるという考え方に基く。米国では会計上最長40年かけて償却できる。日本では税務上5年間で均等償却することになっているので、5年間にわたって償却する例が多い。財務の健全性の観点から、前倒しで一括償却する例もあり、インターネットショッピングモールの最大手である楽天は積極的な企業買収から発生するのれん代を一括償却処理し、会計上の利益が赤字となっている。

　実際に企業価値を算定する場合にはこれらの会計処理上の損失は除外してキャッシュフローを見る場合が多いこと、合併の場合には資産・負債が簿価のまま引継がれてのれん代が発生しない会計処理（持分プーリング法）が認められていることと、等からのれん代償却の妥当なあり方については議論が続いている。

―― **Valuation 関連** ――

Valuation（会社価値評価）はM＆Aにおいてはもちろん、会社の株式公開（Initial Public Offering）、通常の株式投資や債券投資においても、投資判断の根幹をなす作業である。

Valuationの方法を大別すると以下の3方式に大別できる。本文中でも述べているとおり、これらの方法は別個独立した評価方式ではなく、相互に密接にからみあっている。

純資産方式（Asset Approach）

バランスシート（Balance Sheet、貸借対照表）の資産から負債を差し引いた純資産額（Net Asset）をもとに計算する評価方式。バランスシートの簿価をそのまま使う簿価純資産方式（Book Value）と資産・負債をそれぞれ時価評価して時価純資産を計算する修正純資産方式（Adjusted Book Value）の2方式がある。簿価を使う場合はそのままの金額を会社価値評価とすることはあまりなく、類似会社の株式時価総額が簿価純資産の何倍であるか、という純資産倍率（Price-Book Value Ratio, PBR）を指標として使用することが多い。修正純資産方式は、資産、負債の大半が市場での取引対象となっている、或いは成り得る、金融機関の会社価値評価に用いられることが多い。

倍率方式（Multiple Approach）

評価対象の会社と類似の上場会社、評価対象のM＆A取引と類似の取引、をもとに、市場で算定された時価総額やそこから導き出される企業総価値を分子とし、分母に利益やキャッシュフローの金額を用いて倍率を算出する。そしてその諸倍率を当該評価対象会社の利益やキャッシュフローに掛け合わせて会社価値や企業総価値を算定する方

式。

　代表的なものは別項に掲げる EBITDA 倍率や PER だが、それ以外に以下の倍率指標がある。

$$\text{PSR} = \frac{\text{企業総価値}}{\text{売上高}}$$

$$\text{PCFR} = \frac{\text{企業総価値または時価総額}}{\text{キャッシュフロー（フリーキャッシュフロー、または税引後利益＋減価償却）}}$$

$$\text{EBIT 倍率} = \frac{\text{企業総価値}}{\text{営業利益}}$$

EBITDA

　イービット・ディー・エー、又はイビットダー、とは、Earnings Before Interest, Tax, Depreciation & Amortization の略である。金利の受払い、税金の支払い、償却前の利益をさす。特別損失のような一時的な損益も除かれているのが通常であり、したがって損益計算書の「営業利益」に減価償却を足し戻したものと考えて差し支えない。これはいわば会社がその財務構成（借入金や余剰資産の多寡）にかかわらず事業活動そのものが生み出すキャッシュ金額を表す数字で、企業価値を算定する場合の最も重要な数字のひとつである。

　とくにM＆Aの価格算定においては、金利額（有利子負債の金額とその調達コストによって決まる）、支払税金額（買収した後他の事業と統合すれば節税できることがある）、償却額（現金の支出を伴わない会計処理上の費用）は買収する側である程度決定できることから、それらを控除する前段階の利益である EBITDA を事業本来の価値の基準値とする考え方が広く支持されている。

EBITDA 倍率 (EV／EBITDA 倍率)

　類似の上場会社や類似の M＆A 取引と比較して、ある会社の買収価格評価を行なう際に最もよく使われる倍率指標。算出式は、

$$\text{EBITDA 倍率} = \frac{\text{企業総価値}}{\text{EBITDA}}$$

　EBITDA は金利支払前のキャッシュフローなので、割り算の分子には、有利子負債や余剰資産を除いた企業総価値を用いなければ首尾一貫しないことになる。

収益還元方式 (Income Approach)

　会社の将来収支予想をディスカウント・レート（割引率、還元率）で現在価値に引き直す方式。予想収益を用いる収益還元方式、予想配当額を用いる配当還元方式などがあるが、最もよく用いられるのは次に挙げる DCF 方式である。

DCF 方式 (Discount Cash Flow Method、割引キャッシュフロー方式)

　企業価値はその企業が生み出す将来のキャッシュフローの現在価値に等しい、という考え方に基づく評価方式。5 年から 10 年の将来キャッシュフロー予想をもとに、その事業のリスクを勘案したディスカウントレートで現在価値に割引く。

　5％成長する企業の企業価値を、ディスカウントレート 10％として DCF 方式で評価する手法を図解すると［図 9 − 1］の通りとなる。

ディスカウント・レート (Discount Rate、割引率、還元率)

　将来のキャッシュフローを現在価値に引き直す時に使用するレート。無リスクレートとしての長期国債を基準に、リスク相当分をプレミアムとして上乗せする。算出方法の詳細については「資本コスト」の項目参照。

ターミナル・バリュー（Terminal Value、残余価値）

収支予想期間の最終年度時点での会社の価値。収支予想はあまりに長期のものを作成しても意味がないので、5年から10年で切るが、その後も企業は同じ活動を続けると想定することが通常である。残余価値という日本語訳をされるが、耐用年数の決まった減価償却資産やリース資産のケースとは異なるのであまり正確な訳語ではない。ター

DCF方式による企業価値算出方法

フリーキャッシュフロー	1年目	2年目	3年目	4年目	5年目
	100	105	110	116	122

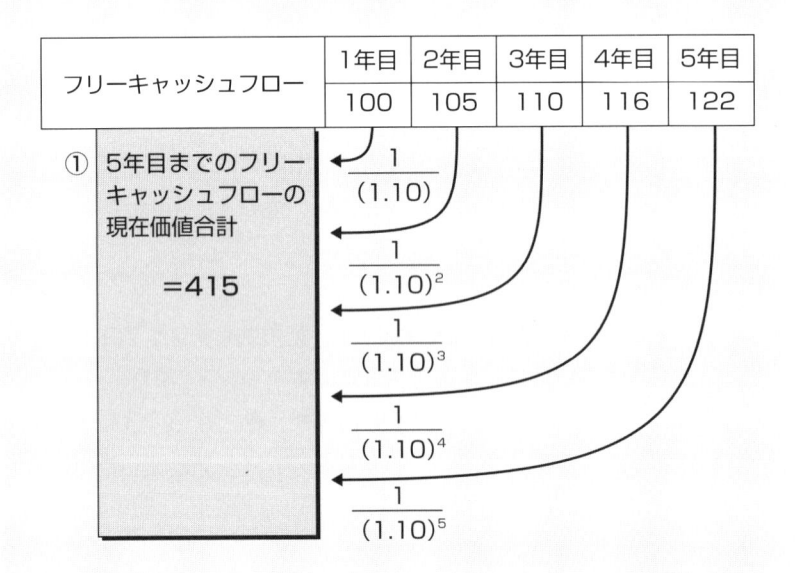

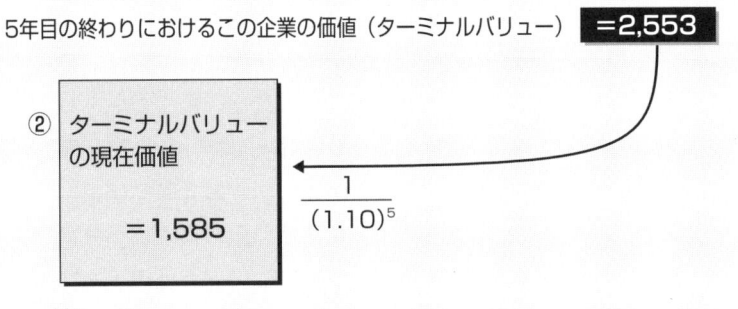

① 5年目までのフリーキャッシュフローの現在価値合計 =415

$\dfrac{1}{(1.10)}$
$\dfrac{1}{(1.10)^2}$
$\dfrac{1}{(1.10)^3}$
$\dfrac{1}{(1.10)^4}$
$\dfrac{1}{(1.10)^5}$

5年目の終わりにおけるこの企業の価値（ターミナルバリュー） **=2,553**

② ターミナルバリューの現在価値 =1,585

$\dfrac{1}{(1.10)^5}$

③ 企業価値 = ① + ② = 2,000

ミナル・バリューの算定方式には以下の2つの方法がある。
① 予想期間の最終年度以降、キャッシュフローが永遠に一定の率で成長しつづけるという前提を置き、定率成長の永久還元定義式[別項目参照]を用いて算定する方式
② 予想期間の最終年度末に事業を株式公開か売却するという想定で、倍率方式でその時点の企業価値を算定する方式

永久還元の定義式（Present Value of Perpetuity, Present Value of Perpetual Annuity）

毎年一定金額のキャッシュフロー（C）をもたらす事業の現在価値（PV）の算出方法。ディスカウントレートを r とすると、

$$PV = \frac{C}{r}$$

となる。「額面金額 1000 の期限のない永久債券が毎年 10％の利息を生むとした場合、毎年 100 の収入がある」ということを逆向けに説明したものと考えればよい。

定率成長の永久還元定義式（Present Value of Growth Perpetuity）

毎年のキャッシュフローが一定金額（C）から毎年 g の割合で成長する場合の永久還元定義式。

$$PV = \frac{C}{r - g}$$

となる。
　左記の DCF 方式の設例は、フリーキャッシュフローが永久に（g＝）5％で成長し続ける企業の価値を、（r＝）10％で現在価値に引き直して算出したものである。この定義式に数値を入れると

$$\frac{C}{r - g} = \frac{100}{0.1 - 0.05} = 2{,}000$$

となり、DCF方式で算出した価値と等しくなることが確認できる。

資本コスト（Cost of Capital）

　DCF方式で企業価値を算出する場合、そのディスカウントレートには、通常その会社の使用総資本の調達コストが用いられる。使用総資本は株主資本と借入資本（長期借入金）で構成され、資本コストとしては株式資本コスト（Equity Cost of Capital）と借入資本コスト（Debt Cost of Capital）の加重平均をとった、加重平均資本コスト（Weighted Average Cost of Capital, WACC, ［ワックと呼ぶ］）を用いる。

　株式資本コストは、資本資産評価モデル（Capital Asset Pricing Model, CAPM）と呼ばれる以下の公式で算出する。

株式資本コスト＝無リスク金利　＋　ベータ（β）× 株式市場プレミアム

無リスク金利：長期国債の利回り
ベータ：株式市場全体の変動に対する個別株式の変動幅を表す係数
株式市場プレミアム：株式市場への投資リターンと同期間の国債投資利回りとの差額

　借入資本コストは、外部借入金のうち長期借入金の利子であるが、支払い利息は税務上損金として扱われるので、法人実効税率分を差し引いた実質コストとして次のように算出する。

借入資本コスト＝長期借入金利　×（1－実効税率）

　WACCはこれら2つの資本コストを加重平均することにより、以下の算式でもとめられる。

$$\text{WACC} = \frac{\text{株主資本金}}{\text{株主資本金} + \text{長期借入金}} \times \text{株式資本コスト}$$

$$+ \frac{長期借入金}{株主資本金 + 長期借入金} \times 借入資本コスト$$

──M＆A関連──

M＆AとはMergers ＆ Acquisitionsの略である。Mergersは「合併」、Acquisitionsは「買収」「買取り」と訳される。

M&Aの諸形態
M＆Aと呼ばれる活動には、以下のような取引形態のものがある。

合併

2つ以上の会社がひとつの会社になる行為。さらに以下の2つの形態に分けられる。

① 新設合併（Consolidation）：新しい会社を設立し、合併する会社の株主はいずれもその新設会社の株式を受け取る。合併前の会社はなくなってしまう。

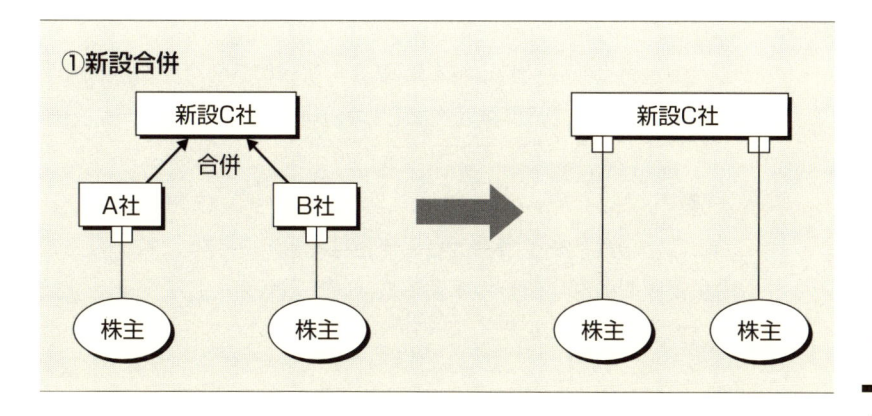

①新設合併

② 吸収合併（Merger）：合併する当事者のどちらかがそのまま存続し、他方はその会社に「吸収」される形の合併。吸収される会社の株式は存続する会社の株式と交換され、消滅してしまう。

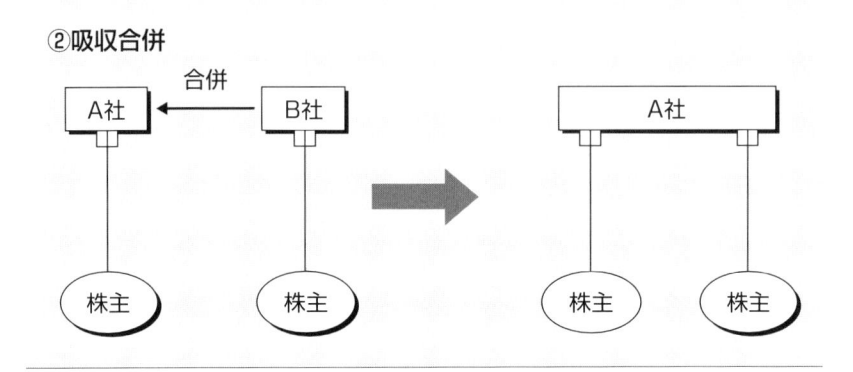

②吸収合併

世の中で「対等合併」と呼ばれているものも、実際には吸収合併の形をとっているものがほとんどである。住友銀行とさくら銀行が合併して三井住友銀行になる、KDDとDDIとIDOの3社が合併してKDDIになる、とうような事例では、税務上の効率や、登録・認可の手間といった問題から吸収合併して社名変更という形で行なわれている。

買収

その名のとおり、会社や事業を買取る、すなわち経営支配権を取得する行為。株式買収と資産買収とにわけられる。

③ 株式買収（Stock Acquisition）：他の会社の株式を買取ることによってその会社を子会社とし、支配権を握る行為。これが最も通常の企業買収の形であり、本書のさまざまな設例もこの形態を念頭において説明している。

③株式買収

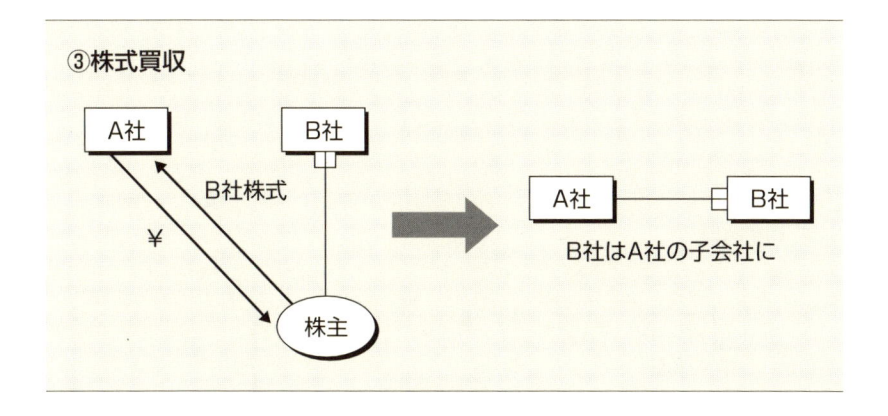

```
   A社         B社
    ←―――→
    B社株式      │
    ¥          │              A社 ――― B社
     ↘        ↓             B社はA社の子会社に
         株主
```

④ TOB (Take Over Bid)：米国ではテンダー・オファー (Tender Offer) と呼ばれる。日本では株式等の公開買付けという制度として証券取引法第27条の2以降に規定されている。これは上場会社で多数の株主に持ち株が分散している場合に用いる、株式買収の一形態だと位置付けることができる。

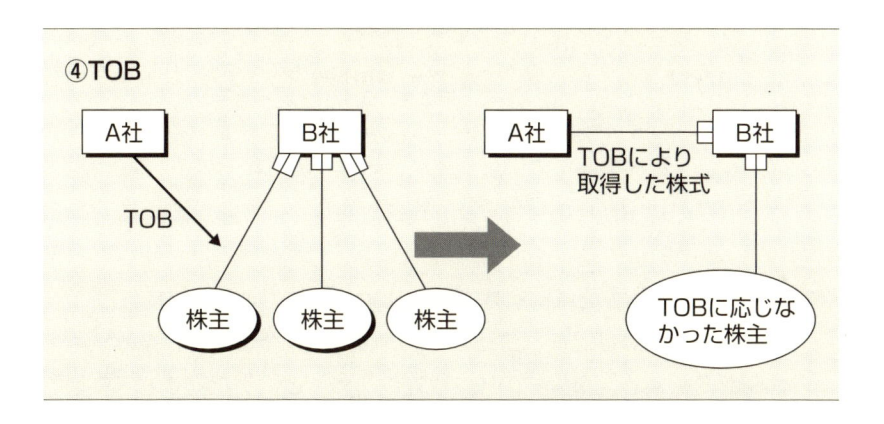

④TOB

```
  A社     B社                    A社          B社
   ↓    ╱│╲                          TOBにより
   TOB  ╱ │ ╲                         取得した株式
     ↘ ╱  │  ╲
      株主 株主 株主                    TOBに応じな
                                      かった株主
```

⑤ 資産買収 (Asset Acquisition)：他の会社の株式を買取るのではなく、事業資産を個別に買取り、負債や契約関係を引継ぐ場合。従業員やブランド（商標等）も契約によって個別に引継ぐ形になる。商法上の「営業譲渡」という行為にあたる。独立した子会社の形態をとらず事業部門として運営されている場合は、その部門の「株式」

は存在しないので資産買収の形態をとることになる。もちろん、買収に先立ち売り手側がその事業部門を子会社として独立させ、その株式を譲渡することは可能である。

⑤資産買収

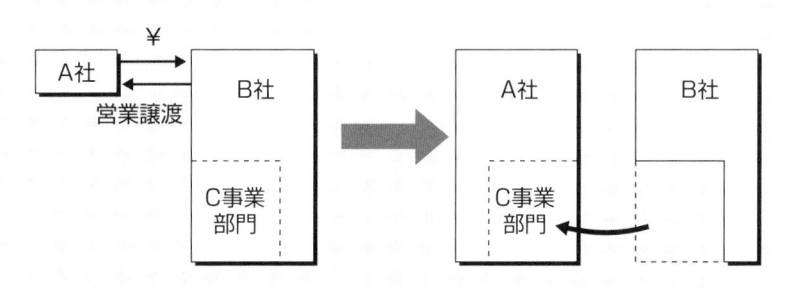

```
[A社] ←¥― [B社]          [A社]    [B社]
      営業譲渡
              [C事業         [C事業
               部門]          部門]
```

資本参加（Equity Participation）

　他の会社の「経営支配権」を取る場合は通常買収と呼ばれるが、その会社の株式の全て或いは過半数ではなく、少数だけ取得して役員派遣や事業提携する場合は、通常資本参加と呼ぶ。ルノー社が日産自動車の36％を取得する、ダイムラークライスラー社が三菱自動車工業の34％を取得する、といった事例。新株を発行する場合（割当増資）と、既存の株主から譲り受ける（株式譲渡）という2つの方法がある。

企業組織再編・再構築（Reorganization, Restructuring）

　明確な定義はないが、会社の価値をより顕在化させる、意思決定の体制を変更する、事業体の独立性を高める、といったさまざまな目的から行なわれる以下のような行為の総称である。最近さまざまな法改正が行なわれたこともあり、企業再編が機動的にできるようになってきた。例えば以下のような形態があげられる。

⑥ 持ち株会社による企業統合：合併とよく似ているが、新しい1つの会社になるのではなく、既存の会社がひとつの持ち株会社の傘下

に、子会社として存続しつづける形態。それぞれの株主は、既存の株式を新しい持ち株会社の株式と交換する。日本興業銀行、第一勧業銀行、富士銀行が経営統合してみずほホールディングスを設立したケースが代表的。

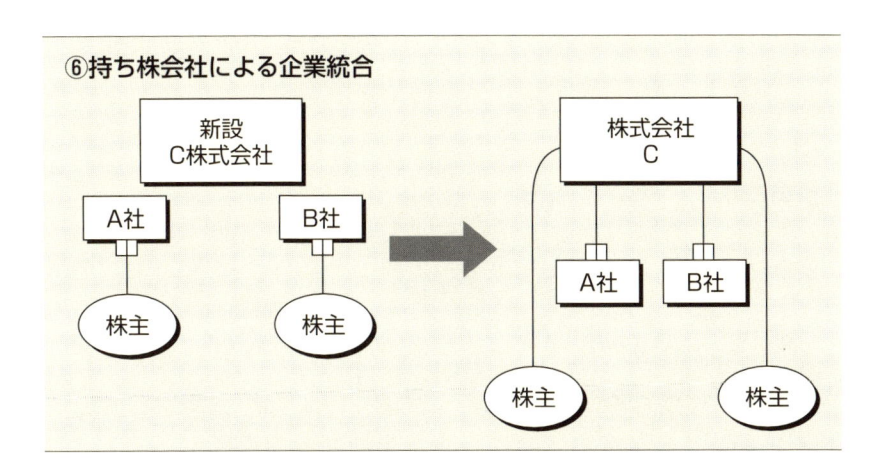

⑥持ち株会社による企業統合

⑦ 分社化：会社の事業部門を独立した別会社にすること。その子会社を株式公開して資金調達したり、他の会社との合弁会社にしたりする目的で行なわれる。日興証券が、その法人向け引受業務部門を分社して日興・ソロモン・スミスバーニーという形の外資との合弁形

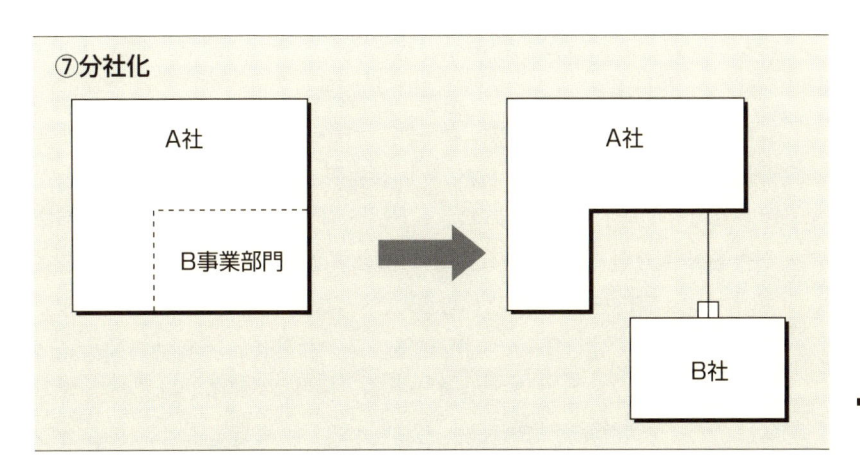

⑦分社化

関連用語集

態にした、という取引がその一例である。
⑧ 会社分割：簡単に言えば、既存のひとつの会社を２つ以上の別会社に分割することだが、その形態はさまざまある。上記の分社化も会社分割のひとつで、分社化された子会社の株式をもとの株主に配当のような形で配ると、株主はもとの会社の株式と分社化された会社の両方の株式を持つことになる。米国ではこのような組織再編をスピン・オフ（Spin-off）と呼んでいる。

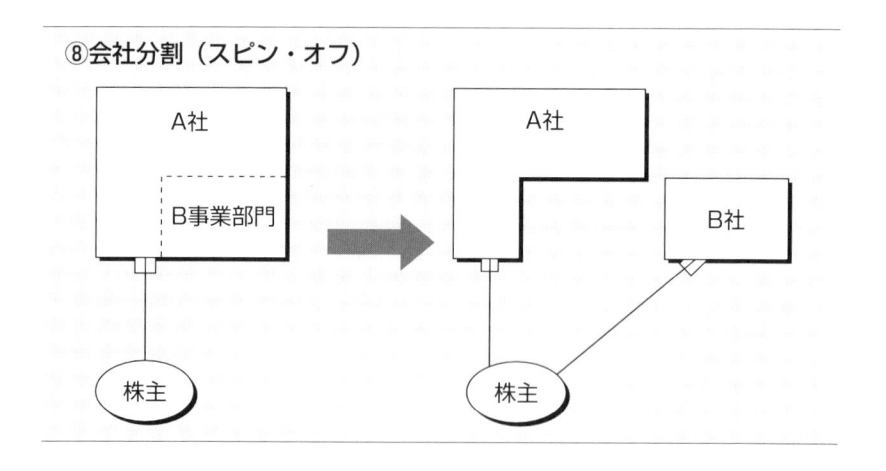

⑧会社分割（スピン・オフ）

[図：A社からB事業部門が分離してB社となり、株主がA社とB社の両方の株式を持つ様子]

LBO（Leveraged Buy-Out、レバレッジド・バイアウト）

企業買収の一形態というよりは、企業買収の際の資金調達方法の特色からつけられた呼び名である。投資家グループが投資ファンド（プライベート・エクイティ・ファンド、LBOファンド）の資金を使って既存の企業を買収する際に通常用いる手法。買収対象会社の資産・将来キャッシュフローを担保に買収資金調達に外部借入金をできるだけ多く使うことにより、少ないファンド資金で高い投資利回りを追求できる。（レバレッジ効果については本文参照）一方、買収後の事業キャッシュフローが予想を下回ると、多額の外部借入金の利払いと元本返済が苦しくなり易く、倒産するリスクが高まる。典型的なハイリスク・ハイリターン追求の投資である。LBOの対象に適した会社とは、従って買収後の収支見通しの立てやすい、安定したキャッシュフ

ローのある会社であり、この点で同じハイリスク・ハイリターン追求のベンチャー企業投資を行なうベンチャーキャピタルと性格が異なる。ある会社A社をLBOファンドYが、自己資金10億円、外部借り入れ金90億円、総額100億円で買収するケースを3つのステップで図解すると以下のようになる。

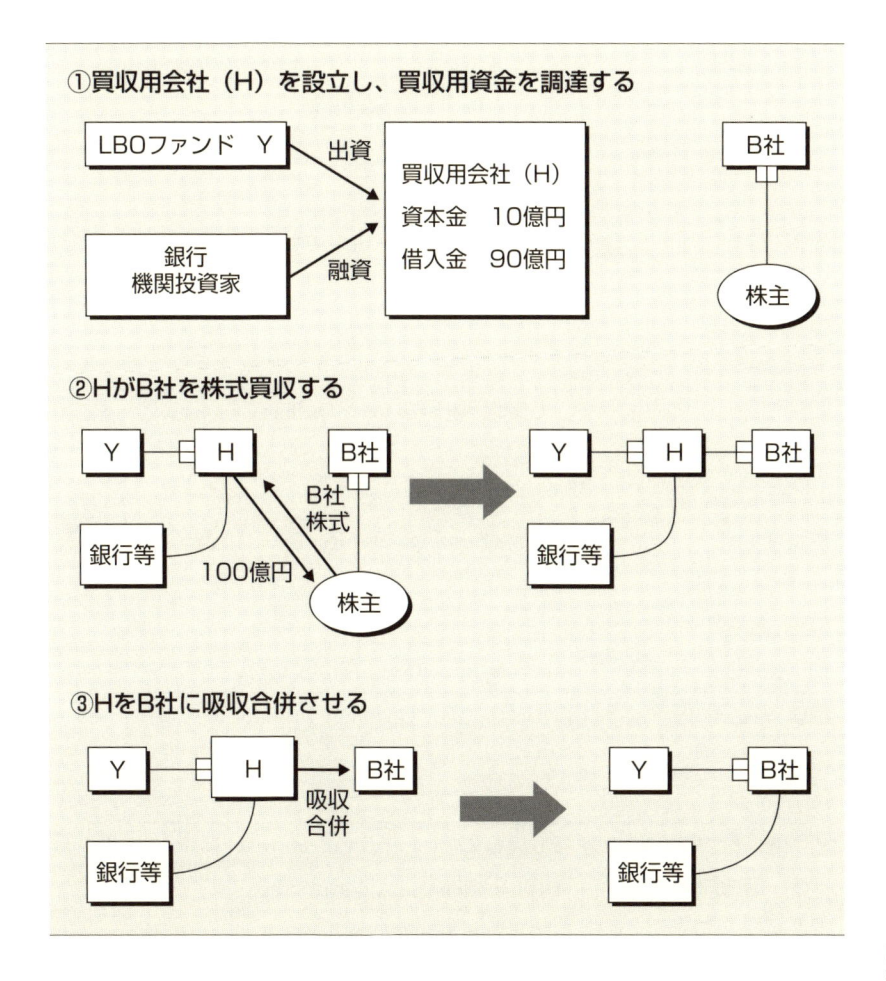

①買収用会社（H）を設立し、買収用資金を調達する

- LBOファンドY → 出資 → 買収用会社（H） 資本金 10億円 借入金 90億円
- 銀行・機関投資家 → 融資 →
- B社 — 株主

②HがB社を株式買収する

Y — H — B社（株主）、B社株式、100億円、銀行等 ⇒ Y — H — B社、銀行等

③HをB社に吸収合併させる

Y — H → B社（吸収合併）、銀行等 ⇒ Y — B社、銀行等

損益計算書（P/L）、キャッシュフロー関連の財務諸表用語の日・英対比表

指標	英語・略称
[損益計算書項目]	
売上高、営業収益	Sales, Revenue
－売上原価	Cost of Sales, COGS（Cost of Goods Sold）
売上総利益/粗利益	Gross Margin, Gross Profit
－一般販売管理費	SG&A（Sales, General, and Administrative Expenses）
営業利益	EBIT（Earnings Before Interest and Taxes）、Operating Profit
±金融収支	
±営業外収支	
経常利益	対応する表現なし（Ordinary Income と一般に英訳される）
±特別損益	Extraordinary Items
税引前利益	EBT（Earnings Before Taxes）, Income Before Taxes
-法人税等	
税引後利益、当期利益	Income After Taxes, Net Income
税引後営業利益	NOPAT（Net Operating Income After Taxes）
[キャッシュフロー項目]	
金利前・税引前・償却前利益、償却前営業利益	EBITDA（Earnings Before Interest, Taxes, Depreciation and Amortization）
営業キャッシュフロー	Cash from Operations
投資キャッシュフロー	Cash from Investing Activities
財務キャッシュフロー	Cash from Financing Activities
フリーキャッシュフロー	Free Cash Flow

索引

【英数】

Amortization	93
Asset Acquisition	229
Asset Approach	221
Balance Sheet (B/S)	59
Capital Asset Pricing Model (CAPM)	42
Cash Flow Statement	88
Closing	190
COGS	234
Consolidation	231
Corporate Governance	197
Corporate Raider	200
Cost of Capital	226
Debt Cost of Capital	226
Definitive Agreement	134
Depreciation	89
Dilution Effect	136
EBIT	88
EBITDA	93, 222
EBITDAM	98
Economic Value Added (EVA)	43
Enterprise Value (EV)	61, 219
Equity Cost of Capital	42, 226
Equity Participation	230
ESOP LBO	185
Expected Return	30
Goodwill	64
Hostile Takeover	197
Income Approach	223
Investor Relations (IR)	197
Letter of Intent (LOI)	121
Leveraged Buy-Out (LBO)	154, 157, 232
Management Buy-Out (MBO)	186
Market Capitalization	58
Market Value (MV)	58
Marketing Cost	98
Memorandum of Understanding (MOU)	121
Mergers and Acquisitions (M&A)	3, 227
Multiple	85
Multiple Approach	221
Net Debt	61, 219
NOPAT	161
Present Value	24
Present Value of Growth Perpetuity	34
Present Value of Perpetuity	31
Price-Book Value Ratio (PBR)	94
Price Cash Flow Ratio (PCFR)	222
Price-Earning Ratio (PER)	94
Price-Sales Ratio (PSR)	222
Profit and Loss Statement (P/L)	86
Reorganization	230
Restructuring	230
Risk	26
Risk Premium	42
Risk-Free Rate	42
SG&A	234
Shareholders' Value	21
Spin-Off	232
Stock Acquisition	228
Stock Option	56
Take Over Bid (TOB)	198, 229
Tender Offer	198, 229
Terminal Value	129, 224
Timely Disclosure	100
Valuation	11
Wall Street Rule	211
Weighted Average Cost of Capital (WACC)	226

【ア行】

IR（対投資家広報）	197
粗利益（売上総利益）	86
安定株主	113
EBITDA	93, 222
EBITDAM 倍率	98
EBITDA 倍率	92, 223
委任状争奪戦	199
Win－Winの原則	183
ウォールストリート・ルール	211
売上総利益（粗利益）	86

売上高	86	議決権	123
運転資金	162	期待	46
永久還元（永続価値）の定義式	31,225	期待収益率	30
営業活動によるキャッシュフロー	90	期待値	46
営業権	64,220	希薄化効果	136
営業権償却	137,220	キャッシュフロー計算書	88
営業利益（EBIT）	88	（いわゆる）キャッシュフロー	89
営業利益率	102	吸収合併	228
LBO（レバレッジド・バイアウト）	154,157,232	グリーン・メール	199
LBOモデル	157,175	繰り延べ資産	131
LBO融資	177	経営企画	196
ゴールデン・パラシュート（黄金の落下傘）	215	経営資源の共有化	149
		経常利益	88
		継続事業価値	218
		決算期	106

【カ行】

		減価償却	89
		研究開発シナジー	172
会計（士）事務所	190	現金同等物	59
会社価値（会社の値段）	54	現在価値	24
会社分割	232	行使価格	56
貸倒れ引当金	131	コーポレート・ガバナンス（企業統治）	197
加重平均資本コスト（WACC）	226	ゴールデン・パラシュート（黄金の落下傘）	215
合併	227	小型成長株	84
株価	54	固定資産	59
株価収益率（PER）	36、94	コントロール・プレミアム	123
株価純資産倍率（PBR）	94、96		
株式額面金額	55		
株式公開買付（TOB）	198		
株式交換による買収	138		

【サ行】

株式時価総額	58,218		
株式市場プレミアム	42,44	財務部門	196
株式資本コスト	42,226	参入障壁	148
株式買収	228	時価会計	64
株式分割	56	資金調達コスト	136
株主価値	21,218	資本資産評価モデル（CAPM）	42
借入資本コスト	226	資産買収	229
為替レートの影響	111	市場拡大の限界	148
機関投資家	22	市場からの退出	97
企業価値	19	シナジー（相乗作用）	150
企業総価値	61,219	支配権プレミアム	123
企業組織再編	230	四半期決算	100
企業統合	231	資本コスト	226
企業乗っ取り屋（コーポレート・レイダー）	200	資本参加	230
		ジャンク債	157
企業防衛手段	202	収益還元方式	223

守秘義務契約	120		（税引後）当期利益	88
純資産	60		投資家	22
純資産方式	221		投資価値	20
自力立ち上げ	148		独占禁止法	145
新規事業展開	147		取締役会のクーデター	199
人事	196			
新設合併	227		【ナ行】	
垂直統合	146			
水平統合	144		ネット・デット	61,219
ステーク・ホルダー（利害当事者）	185		ネットベンチャーの株価形成	51
ストックオプション	56		のれん（のれん代）	64,220
スピン・オフ	232		のれん代償却	220
生産コストシナジー	171			
製造物責任	131		【ハ行】	
税引後営業利益（NOPAT）	161			
税引前利益	88		買収	228
税務プランニング	191		買収契約書	134
税理士	190		倍率	85
設備投資	88		倍率比較表	101
損益計算書（P/L）	86		倍率方式	221
損害賠償責任	131		発行済み株式総数	54
			バリュエーション（Valuation）	11
【タ行】			販売管理シナジー	171
			フィナンシャル・アドバイザー	188
ターミナル・バリュー			ブランド（の価値）	66
（残余価値）	129,224		フリーキャッシュフロー	91
貸借対照表（バランスシート、B/S）	59		分社化	231
退職給付債務	131		ベータ（β）	43
退職給与引当金	131		法律事務所	190
対等合併	228			
			【マ行】	
タイムリー・ディスクロージャー				
（適時情報開示）	100		マネージメント・バイアウト（MBO）	
超過収益力	71			186
追徴課税	131		マネタリスト	40
ディスカウント・キャッシュフロー			無借金・含み益経営	75
（DCF）方式	127,223		メモランダム・オブ・アンダースタンディ	
ディスカウントレート	26,223		ング（MOU）	121
定率成長の永久還元定義式	34,225		（株式の）持ち合い	113
敵対的企業買収	197		持ち株会社による企業統合	230
てこの原理	154			
手元流動性	59		【ヤ・ラ・ワ行】	
デュー・ディリジェンス（買収監査）				
	120,130		有利子負債	60
転換社債	58		リース債務	131

リスク	26
リスクフリー・レート	42
リスク・プレミアム	42
リストラ効果	109
流動資産	59
流動性のプレミアム	122
利用価値	21, 115
類似会社	82
類似上場会社比準方式	124
類似取引比準方式	125
レター・オブ・インテント（LOI）	121
レバレッジ効果	155
レバレッジド・バイアウト（LBO）	154, 157, 232
ワラント付社債	58
割引率	24

【著者略歴】
森生 明（もりお あきら）
1959年大阪府生まれ。1983年京都大学法学部卒。1986年ハーバード・ロースクール卒（法学修士）。日本興業銀行、米国投資銀行ゴールドマン・サックスにてM&A（企業買収）アドバイザー業務に従事。その後米国上場メーカーのアジア事業開発担当副社長、日本企業の経営企画・IR担当を経て1999年独立。
現在は、西村あさひ法律事務所の経営顧問をはじめ、数社の経営顧問、M&Aアドバイスを担当。著書に『会社の値段』（ちくま新書）。NHK総合テレビのドラマと映画「ハゲタカ」監修担当。2013年4月からグロービス大学院客員教授。
E-mail:am@mrojapan.com

日経BP実戦MBA②
MBAバリュエーション

2001年10月22日	第1版第1刷	
2013年 3月15日	第1版第14刷	

著　者　森生　明
発行者　高畠知子
発行所　日経BP社
発　売　日経BPマーケティング
　　　　〒108-8646　東京都港区白金1-17-3
　　　　　　　　　NBFプラチナタワー
　　　　電話　03-6811-8650（編集）
　　　　　　　03-6811-8200（営業）
　　　　http://ec.nikkeibp.co.jp/

装　丁　岩瀬　聡
本文デザイン　内田隆史
印刷・製本　株式会社廣済堂

本書の無断複写複製（コピー）は、特定の場合を除き、著作者・出版者の権利侵害になります。
Printed in Japan ©Akira Morio 2001　　　　ISBN978-4-8222-4246-6